D0513090

Revenir au monde

Édition : Pascale Mongeon
Design graphique : Christine Hébert
Infographie : Chantal Landry
Révision : Syvain Trudel
Correction : Odile Dallaserra

DISTRIBUTEURS EXCLUSIFS :

Pour le Canada et les États-Unis :
MESSAGERIES ADP inc.*
Téléphone : 450-640-1237
Internet : www.messageries-adp.com
* filiale du Groupe Sogides inc.,
   filiale de Québecor Média inc.

Pour la France et les autres pays :
INTERFORUM editis
Téléphone : 33 (0) 1 49 59 11 56/91
Service commandes France Métropolitaine
Téléphone : 33 (0) 2 38 32 71 00
Internet : www.interforum.fr
Service commandes Export – DOM-TOM
Internet : www.interforum.fr
Courriel : cdes-export@interforum.fr

Pour la Suisse :
INTERFORUM editis SUISSE
Téléphone : 41 (0) 26 460 80 60
Internet : www.interforumsuisse.ch
Courriel : office@interforumsuisse.ch
Distributeur : OLF S.A.
Commandes :
Téléphone : 41 (0) 26 467 53 33
Internet : www.olf.ch
Courriel : information@olf.ch

Pour la Belgique et le Luxembourg :
INTERFORUM BENELUX S.A.
Téléphone : 32 (0) 10 42 03 20
Internet : www.interforum.be
Courriel : info@interforum.be

Données de catalogage disponibles auprès de Bibliothèque
et Archives nationales du Québec

06-17

Imprimé au Canada

Dépôt légal : 2017
Bibliothèque et Archives nationales du Québec

ISBN 978-2-7619-4808-1

Gouvernement du Québec - Programme de crédit d'impôt
pour l'édition de livres – Gestion SODEC –
www.sodec.gouv.qc.ca

L'Éditeur bénéficie du soutien de la Société de
développement des entreprises culturelles du Québec
pour son programme d'édition.

Conseil des Arts   Canada Council
du Canada   for the Arts

Nous remercions le Conseil des Arts du Canada de l'aide
accordée à notre programme de publication.

Financé par le gouvernement du Canada
Funded by the Government of Canada | Canadä

Nous reconnaissons l'aide financière du gouvernement du
Canada par l'entremise du Fonds du livre du Canada pour
nos activités d'édition.

NICOLE BORDELEAU

Revenir au monde

LES ÉDITIONS DE
L'HOMME

Une société de Québecor Média

Le meilleur de votre vie n'est ni ailleurs,
ni à un autre moment.

Il est là où vous êtes,
à cet instant même.

Introduction

Si je commence ce livre avec mon histoire personnelle, c'est que je crois qu'elle ressemble à celle de bien d'autres personnes. D'aussi loin que je me souvienne, j'ai toujours eu la certitude que nous venions sur cette terre pour être heureux. Enfant, j'étais fascinée par la nature contemplative de mon grand-père paternel. Cet homme, qui avait le « bonheur facile », comme on dit, a été mon premier maître zen. Il me disait toujours : « Ne sois pas si pressée, laisse venir les choses… »

Cependant, en entrant dans l'adolescence, en raison de mon caractère fougueux et de mon impatience de vivre, j'ai été davantage attirée par un style de vie plus aventureux. Rapidement, j'ai pris des habitudes de vie d'adulte qui m'ont menée sur des chemins tortueux. J'en ai oublié les leçons de vie de mon grand-père, et au fil des années j'ai omis de me questionner sur le sens de ma vie. Jusqu'au jour où j'ai reçu une nouvelle qui allait bouleverser le cours de mon existence.

À trente-huit ans, j'ai appris que j'étais affligée de l'hépatite C. À cette époque, il n'existait encore aucun traitement pour éradiquer ce virus mortel. Brusquement, j'ai été projetée contre le mur de la réalité.

Des premières semaines suivant le diagnostic, je ne me souviens de rien d'autre que des moments de désespoir et d'angoisse. Puis, peu à peu, j'ai réalisé que j'allais devoir vivre avec une épée de Damoclès au-dessus de ma tête, composer avec de multiples symptômes physiques déstabilisants, de nombreuses questions sans réponse et une peur bleue de ce que me réservait l'avenir. Cette prise de conscience allait déboucher sur une piste de solution : il me fallait trouver une autre manière de vivre au présent. Une autre façon d'être au monde.

À cette époque-là, je ne connaissais que deux façons de vivre : tout mettre en œuvre pour que la vie réponde parfaitement à mes désirs et à mes besoins ; ou fuir le moment présent en m'évadant mentalement.

Au-delà de ces deux modes d'être, je ne savais pas vraiment comment reprendre contact avec moi-même. Ni comment me réconcilier avec ma nouvelle réalité. J'étais aux prises avec tant de questions sans réponse : Comment accède-t-on à l'instant présent ? Comment fait-on pour y demeurer ? Comment y trouver la sérénité ?

Nous traversons tous, à un moment ou l'autre de notre existence, des passages où nous nous remettons en question, où nous nous interrogeons sur le sens de notre vie. Dans ces périodes où l'on perd ses repères, que l'on doute de soi ou qu'on ait l'impression de s'être perdu, parfois, avec un peu de chance, une porte s'ouvre à l'intérieur de soi. Et si l'on trouve la force de faire un premier pas en sa direction, la vie nous offre alors un cadeau inestimable : faire la connaissance réelle de qui nous sommes dans notre for intérieur. Mais par où commencer ?

Personnellement, j'ai toujours éprouvé une résistance à l'encontre des formules toutes faites et des gadgets qui promettent un « éveil instantané ». Je n'ai pas à juger les gens qui ont recours à cela, mais, pour ma part, ce n'est pas ce que je recherchais. Je ne cherchais ni à tout chambarder dans mon existence, ni à me forger une nouvelle identité, ni à renoncer aux doux plaisirs de la vie. Je voulais simplement apprendre à vivre plus consciemment.

Après des mois de recherche, après avoir fait l'expérience de quelques disciplines méditatives qui m'apportaient peu ou pas de résultats, j'ai eu la chance de découvrir la méditation de *pleine présence*, couramment appelée de *pleine conscience*. Il s'agit là d'une manière de méditer et d'être au quotidien, qui découle d'une attention ouverte et tranquille. Tout comme le font les traditions orientales depuis des millénaires, il s'agit de s'exercer à être en pleine présence, que ce soit en méditation, chez soi, au travail, et partout ailleurs.

Depuis plus de vingt-cinq ans maintenant, je m'exerce à cet art de vivre, et après avoir ressenti les effets bénéfiques de cette pratique sur ma santé, j'ai décidé de suivre des formations et des retraites pour l'enseigner à mon tour. Depuis une quinzaine d'années, je vois des gens qui, au lieu de vivre sur le pilotage automatique, se servent de la méditation de pleine présence dans leurs activités personnelles et professionnelles. Grâce à cette pratique, certains disent mieux naviguer dans des situations de stress, d'anxiété ou de conflit relationnel. D'autres s'en servent comme d'un outil complémentaire pour diminuer un déficit d'attention, vivre plus sereinement avec une douleur chronique, la maladie grave d'un conjoint, les besoins grandissants d'un enfant ou d'un parent vieillissant, ou encore pour les aider à se libérer d'une dépendance. En résumé, l'art de cultiver une attention bienveillante dans leur expérience méditative les aide, par la suite, dans toutes les sphères de leur existence.

Ici, je ne prétends pas que la méditation est une cure miracle pour effacer tous vos maux et vos problèmes. En revanche, le fait d'entraîner votre esprit, quelques minutes chaque jour, à diriger une attention ouverte et tranquille sur ce qui se passe en vous et autour de vous peut vous aider à vivre, instant par instant, de manière plus consciente, plus riche et plus profonde.

Toutes les ressources pour y parvenir sont déjà là, en vous, tel que vous êtes. À travers cet ouvrage, je n'espère qu'une chose : vous faire découvrir que vous portez en vous-même les clés de la paix intérieure et du bonheur véritable.

Que la vie vous soit douce,

NICOLE

Remettre l'accent sur être

Le sens de l'existence

Aujourd'hui, si on menait un sondage auprès des 7,4 milliards de personnes vivant sur cette terre pour savoir à quoi elles aspirent le plus, je parie qu'une grande majorité répondrait: le bonheur. Nous semblons avoir été créés pour être heureux. Et c'est probablement pourquoi nous voyons le bonheur comme le sens premier de notre existence. Cependant, si l'on poussait l'investigation un peu plus loin, si l'on cherchait à savoir ce qu'est le bonheur et à connaître les moyens de l'atteindre, les réponses à notre sondage seraient fort différentes. Pourquoi?

Parce que notre idée du bonheur est largement conditionnée par notre monde extérieur. C'est une des raisons pour lesquelles notre définition de ce que c'est que d'être heureux change continuellement. Elle varie selon notre tranche d'âge, nos besoins, notre culture, les modes et les tendances de notre société. À ces disparités s'ajoute le fait qu'en Occident, notre culture nous fabrique chaque jour des images de « bonheur » en quantité industrielle.

Le sens de l'existence ? Ce n'est pas important, semble nous dire la société de consommation. Si vous êtes insatisfait de votre vie, vous pouvez modifier votre apparence physique, changer de mobilier, de voiture, d'appartement, de quartier, d'emploi, ou encore partir très loin. Ainsi, elle nous encourage fortement dans une quête de bonheur axée sur l'hyperproductivité, la performance, la concurrence, le dépassement de soi à outrance et la surconsommation.

Pour nous garder motivés dans cette course effrénée, on nous fait croire que nous serons nettement plus heureux après la réussite de nos études, l'obtention d'un poste convoité, l'accumulation de biens matériels, l'achat d'une nouvelle voiture, des expériences et des divertissements de toutes sortes, etc.

Jour après jour, on nous incite à courir à droite, à gauche et dans tous les sens, sans jamais nous arrêter pour réfléchir sur le pourquoi de ce marathon. Et pourtant, plus on travaille, plus on consomme, plus on accumule, et plus le bonheur nous échappe.

Personnellement, maintes et maintes fois je suis rentrée à la maison les bras chargés de paquets dans l'espoir de remplir un sentiment de vide intérieur. Combien de fois ai-je dépensé temps et énergie à désirer des biens matériels dont je me suis lassée après quelque temps ? Combien de divertissements et d'activités ai-je enchaînés pour me donner l'impression de vivre « pleinement », alors qu'au final, je ne me suis sentie ni plus libre ni plus heureuse ? Bien que j'aie apprécié certaines de ces expériences, la plupart d'entre elles ne faisaient que renforcer l'illusion qu'il me manquait toujours un petit quelque chose pour être pleinement heureuse.

Certes, un bien matériel peut nous procurer un certain plaisir pour un moment, mais aucun objet, si beau soit-il, n'a le pouvoir de nous rendre heureux. Si c'était le cas, les milliardaires et les collectionneurs de ce monde seraient les gens les plus heureux de la terre. Et nous savons bien que ce n'est pas le cas.

Par exemple, qui n'a pas fait l'expérience d'un vague à l'âme, d'un esprit inquiet ou encore insatisfait, alors que toutes les conditions pour être heureux étaient réunies et que les circonstances extérieures de notre vie étaient « parfaites » ? À ce moment-là, notre vie peut être remplie de mille et une choses qui l'embellissent et la rendent plus confortable, mais si nous ne sommes pas en paix intérieurement, aucune source extérieure ne peut nous rendre heureux. On pourrait être jeune, beau, célèbre, immensément riche, et vivre dans le plus bel endroit du monde, on ferait quand même l'expérience de la souffrance si l'esprit était dispersé, anxieux, dépressif.

Pensons-y un instant. Si le véritable bonheur consistait à grimper l'échelle du succès, à accumuler des biens matériels, des titres et des promotions, plusieurs d'entre nous seraient heureux, et depuis fort longtemps. À preuve, nous connaissons des gens qui ont satisfait leurs ambitions, qui mènent de brillantes carrières, possèdent de grandes maisons et de belles voitures, qui voyagent dans les plus beaux lieux du monde, mais qui continuent néanmoins de courir après d'autres expériences. C'est là la preuve que le vrai bonheur n'est pas conditionné par nos possessions, nos relations ou les conditions extérieures de notre vie.

À l'inverse, nous connaissons tous des gens qui ont traversé de terribles difficultés et connu de grandes épreuves, et qui, malgré cela, se disent heureux et en paix intérieurement. Lorsqu'on les questionne sur leur état de bonheur, ils disent qu'être heureux ne découle pas d'une acquisition ou d'une action quelconque. Les gens heureux n'attendent pas que le monde donne un sens à leur existence. Ils ont développé au fond d'eux-mêmes un état de plénitude qui ne dépend pas des circonstances extérieures.

Le vrai bonheur, disent les chercheurs en la matière, c'est se sentir vivre en harmonie avec soi-même, les autres et le monde. Depuis plus d'une décennie, de nombreux travaux scientifiques sur le sujet pointent dans la même direction. De récentes études confirment que les gens heureux ont la faculté d'accueillir les moments plus difficiles avec lucidité et sérénité, et qu'en contrepartie ils savourent pleinement et complètement chaque petit instant de joie. Autrement dit, ils éprouvent de la gratitude envers ce qui est, dans l'« ici » et le « maintenant » de leur vie. Le bonheur découle donc d'une pleine présence à soi, aux autres et au monde.

En pleine présence

Vous souvenez-vous d'un moment dans votre vie où vous étiez non seulement dans le moment présent, mais aussi en parfaite harmonie avec lui? Vous rappelez-vous un événement où vous vous sentiez en parfait accord avec vous-même et en communion profonde avec le monde autour de vous?

Que ce soit à la naissance d'un enfant, lors d'un échange amoureux lumineux, en écoutant une musique qui élève l'âme ou en contemplant la beauté majestueuse d'un paysage, nous appelons ces moments «état de grâce», car nous avons l'impression de ne faire plus qu'un avec la vie.

C'est là une expérience que chacun a déjà éprouvée au moins une fois dans sa vie. Et si vous vous rappelez bien, dans cet instant de grâce, vous n'aviez rien à faire, rien à produire. Vous n'étiez pas dans un état second ni dans un état d'illumination.

Vous étiez dans un état d'harmonie, de tranquillité et de sérénité, au cœur du «ici-maintenant» de votre vie.

À présent, si vous fouillez dans vos souvenirs, vous constaterez que cet état de grâce n'était pas strictement tributaire d'une circonstance extérieure, mais bien de votre façon d'être en lien direct avec cette expérience. Pour le dire autrement, vous étiez si attentif au moment présent, aux choses, aux gens et aux circonstances, que rien n'aurait pu vous soustraire à cet instant.

Vous n'étiez pas devenu quelqu'un d'autre pour autant, mais vous étiez libre intérieurement. Vos émotions et vos pensées continuaient de surgir, et des bruits étaient présents, mais cela n'avait aucune importance. Vous n'étiez pas dans l'attente. Vos problèmes et vos soucis n'avaient pas disparu pour autant, mais ils ne préoccupaient plus votre esprit. Vous étiez simplement là, pleinement incarné dans votre être, en prise directe avec la réalité, en parfaite résonance avec le monde.

Un état de grâce est un moment marquant dans notre existence et c'est la raison pour laquelle nous conservons ces instants de vie précieusement dans notre mémoire.

Maintenant, saviez-vous que cet état vous est accessible en tout temps? Il provient tout naturellement de votre attention bienveillante à ce qui se passe en vous et autour de vous.

Votre esprit, lorsqu'il est entraîné à prêter attention au moment présent, a le pouvoir de transformer chaque instant de votre existence en un moment de grâce. Lorsque vous êtes pleinement, totalement et intensément présent, toute expérience a le potentiel de devenir riche et profonde. Et c'est ainsi que, grâce à votre pleine présence à vous-même, aux autres et au monde, votre existence prend tout son sens.

Moment présent, moment parfait

Un jour, dans une file d'attente à la banque, tout près de moi, deux dames discutaient. L'une, en soupirant fortement, disait qu'il lui restait une année à travailler avant de pouvoir partir à la retraite. Mais c'est la phrase suivante qui m'a donné un choc : « J'ai tellement hâte à ma retraite, enfin je vais pouvoir profiter du moment présent ! » Cette phrase m'a secouée intérieurement, car durant de longues années, j'ai entendu mon père affirmer sensiblement la même chose : « À ma retraite, je vais voyager, je vais faire du sport, je vais aller à la pêche avec mes amis, je vais prendre le temps de vivre… » Malheureusement, mon père n'a jamais atteint l'âge de la retraite. Il est décédé subitement à l'âge de cinquante-deux ans.

Combien sommes-nous à attendre le « bon » moment pour prendre soin de nous, pour réaliser un rêve, pour vivre pleinement ? Combien sommes-nous à attendre inconsciemment le fameux « moment présent » comme on attend un grand événement ? Nous sommes nombreux, et c'est la raison pour laquelle les médias et les publicitaires s'en servent allègrement pour nous faire rêver.

Jetez un coup d'œil autour de vous. Vous constaterez qu'il n'est pas rare d'apercevoir un gigantesque panneau-réclame faisant valoir une nouvelle voiture ou un immeuble en copropriété de luxe, avec en grosses lettres ces mots : « Savourez le moment présent. » Que ce soit pour un voyage vers une destination exotique, un week-end dans un spa branché, un abonnement à un centre de conditionnement physique ou un régime d'assurance, on fait allègrement du moment présent la destination suprême du mieux-être.

Certes, il n'y a rien de mal à désirer que notre vie soit remplie de douceur, de bien-être et de plénitude, mais il faut se rendre à l'évidence : quand nous rêvons du « fameux » moment présent, nous ressemblons parfois à des enfants qui attendent la visite du père Noël avec une longue liste de souhaits à combler.

Personnellement, tout comme cette dame dans la file d'attente et tout comme mon père, j'ai tracé des croix sur des jours du calendrier. J'ai attendu des mois et des années le « parfait » moment pour commencer à vivre. Mais quand notre vie se fonde sur l'attente d'un autre moment ou d'un ailleurs « meilleur », nous gaspillons un temps précieux. Lorsque nous sommes absents de l'instant présent, par le fait même, nous sommes absents de ce monde.

Un seul instant à vivre

Si l'on est absent du monde, comment peut-on espérer être heureux et vivre pleinement ? Quand on passe sa vie à espérer être plus riche, plus mince, en meilleure condition physique, ou qu'arrive enfin le moment parfait, on finit par sacrifier des semaines, des mois, des années de son existence à attendre.

En ce qui me concerne, j'ai perdu du temps à attendre. Surtout au début de la maladie, je ne faisais que cela : attendre la découverte d'un nouveau médicament. Attendre d'avoir plus d'énergie. D'avoir moins de douleurs. D'avoir moins peur. J'aurais facilement pu y laisser un quart de siècle de ma vie, puisque j'allais devoir vivre avec cette maladie chronique durant vingt-cinq ans. Mais la vie, elle, savait ce qui m'attendait. C'est pourquoi elle allait me donner un avertissement, me signifier qu'il ne fallait plus attendre de guérir pour recommencer à vivre.

Cet avertissement est venu plusieurs mois après le diagnostic, à l'occasion d'un nouveau bilan de santé. Mes analyses sanguines n'étaient pas bonnes. Clairement, le virus progressait. En sortant de la clinique, j'ai senti une vague de désespoir me traverser. Qu'allais-je devenir ? Comment allais-je pouvoir continuer de « vivre » ainsi sans savoir ce que me réservait l'avenir ? Puis, en regardant autour de moi, j'ai constaté que la vie, elle, continuait : des voitures défilaient devant mes yeux, des passants déambulaient sur les trottoirs, le ciel était bleu… J'ai eu comme une sorte de choc d'éveil.

Le monde n'avait pas cessé d'exister, et moi non plus. J'étais là. Sur le coup, je n'ai pas réalisé que je venais de vivre quelque chose de crucial. Ce n'est qu'après que j'ai été saisie par une brûlante prise de conscience : et si ce bilan sanguin inquiétant avait pour but de ramener mon attention au présent ? Peut-être que la vie, de façon bien discrète, me l'envoyait comme un signal de revenir au monde.

Je ne savais pas combien de temps il me restait à vivre, mais à cet instant même, j'étais vivante. Mais existait-il une façon de l'être encore plus ?

Respirer, marcher, aimer, voir, écouter, ressentir et même guérir, tout cela ne pouvait se vivre qu'au présent. Je devais absolument trouver un moyen concret de ne pas ruminer le passé et de ne plus anticiper le futur afin de vivre plus consciemment chaque moment. « Maintenant » était tout ce que j'avais.

Quand on tombe follement amoureux, qu'on est au top de sa forme, qu'on connaît du succès, qu'on apprend une excellente nouvelle et que tout le monde autour de soi est heureux, c'est facile d'être pleinement ici et maintenant. Mais quand les choses dérapent, qu'on a peur ou qu'on a mal, comment fait-on pour demeurer en lien avec la réalité? Comment rester présent quand on fait face à l'échec, à une séparation ou à un deuil? Quand notre corps a mal? Que notre cœur est brisé? Que notre esprit est anxieux? Comment être là, avec soi et dans l'instant présent, quand le moment présent est inconfortable ou insoutenable?

Je n'avais pas de réponse précise à ces questions, mais j'avais une piste de solution. Puisque je pratiquais déjà le yoga, j'y avais découvert la méditation. Quand mon corps me faisait mal ou que mon esprit était agité, méditer m'aidait à mieux supporter l'inconfort physique et à tranquilliser mon esprit. À travers ces quelques expériences, j'avais pu ressentir quelques bienfaits. La méditation pourrait-elle m'enseigner à transformer ma relation avec le moment présent? Aurais-je le courage de m'établir dans une telle pratique? Pouvait-on vraiment méditer dans un état d'esprit confus et angoissé comme le mien?

Je n'en savais rien, mais puisque je vivais déjà beaucoup de contraintes en raison des symptômes de la maladie, je ne voulais pas que l'acte de méditer ajoute du stress à mon quotidien. J'ai donc commencé tout doucement en m'exerçant sur de courtes séances, cinq à sept minutes, deux à trois fois par jour. Et j'ai dû faire l'essai de deux ou trois formes différentes de méditation avant de découvrir la méditation de *pleine présence*, aussi appelée de *pleine conscience*. En quelques semaines tout au plus, j'ai su que cette pratique allait non seulement m'établir dans le présent, ici et maintenant, mais aussi me réconcilier avec mon corps et me reconnecter à moi-même.

En ce sens, l'expérience méditative allait m'apprendre une leçon des plus précieuses : comment revenir au monde.

Cet instant est un « présent »

Il n'y a jamais deux instants qui soient identiques.

Chaque moment qu'il nous est donné de vivre est unique.

Demain, après-demain, le mois prochain,
tous ces lendemains n'existent pas.

Il n'existe qu'un temps où nous sommes vivants.

C'est maintenant.

L'instant présent est une précieuse parcelle de notre existence.

Il mérite toute notre attention.

Notre vie entière est contenue dans ce moment même.

Si nous passons à côté de cet instant, nous passons
à côté de notre vie.

Retour
à l'essentiel

Dans ce monde bruyant et agité se trouve
un espace de calme.

Cet état de tranquillité ne vient pas de l'absence de bruits
ou de sons.

Ce lieu paisible se trouve en vous.

Quand vous prêtez une attention bienveillante à ce qui est,
vous le trouvez là.

Entre deux souffles, deux pensées, deux gestes, deux pas.

C'est là que se trouve votre véritable nature.

Vous réconcilier avec cette paisible essence profonde s'appelle
être en pleine présence.

Votre présence est requise

Au-delà de leurs différences, toutes les traditions contemplatives s'entendent sur le fait que l'instant présent est la porte d'accès au bonheur et à la paix intérieure. C'est l'évidence même : quand on est pleinement attentif et présent, on peut vivre plus intensément et plus consciemment les beaux moments ou traverser plus sereinement les embûches de l'existence.

Le problème est qu'on ne réalise même pas qu'on est en train de fuir le moment présent. Nous sommes si préoccupés par nos pensées, nos listes de choses à faire, nos engagements, nos désirs et nos craintes, que nous ne voyons plus que nous avons perdu le contact avec l'essentiel. Et l'essentiel, c'est ce qui se passe dans l'ici-maintenant. Comment faire un retour à cet instant même ?

D'abord, il faut commencer par admettre que la plupart du temps, nous sommes absents mentalement du présent. Notre corps est toujours établi ici et maintenant. Mais notre esprit, lui, est ailleurs, absorbé par nos pensées répétitives, nos voix intérieures, notre rumination du passé et nos projections concernant l'avenir. Ainsi, nous sommes rarement pleinement attentifs à ce qui se déroule en ce moment même. Le reconnaître et l'admettre, c'est un premier pas pour vivre en pleine présence.

L'étape suivante est d'admettre notre résistance à demeurer dans l'instant présent. Personnellement, je connais bien les stratégies de fuite qui nous servent à nous évader d'un moment inconfortable. Je sais à quel point il est facile de fabriquer mille et une excuses pour fuir la réalité. On a beau dire qu'on aimerait vivre davantage dans le moment présent, mais quand la réalité ne répond pas à nos attentes, on cherche à la fuir. Ou bien notre esprit retourne se réfugier dans le monde de nos souvenirs, ou bien il fabule sur ce qui est à venir. C'est la même chose quand on se sent mal dans sa peau, qu'on est nerveux ou qu'on vient de faire une gaffe : notre esprit s'agite et cherche à prendre la première porte de sortie.

C'est pour cette raison que, quand on est angoissé ou stressé, on ouvre le réfrigérateur, on allume l'ordinateur ou le téléviseur. Que ce soit de manière consciente ou inconsciente, on cherche à s'évader de ce qui se passe en soi. C'est aussi pour cette raison que le mental, quand il juge l'instant présent ennuyeux, cherche à se distraire en plongeant dans un monde qu'il juge plus stimulant. Lors d'une longue attente, d'une réunion ou d'une conversation qui nous chamboule, qui n'a pas envie de se réfugier dans l'univers virtuel de son téléphone portable ou de sa tablette numérique ? Combien de fois nous servons-nous de ces appareils pour couper la connexion à l'autre ou comme outil de divertissement pour ne pas avoir à vivre ce qui se passe au présent ?

Si le moment présent est inconfortable ou qu'il nous déstabilise, quelle est notre première impulsion ? Certaines personnes confesseront qu'elles fuient l'inconfort en grignotant, en buvant un verre ou deux, en allant courir les boutiques, en jouant à des jeux de hasard ou en consommant des drogues ou des médicaments. Certains s'évadent dans l'excès de travail, en se surentraînant dans un sport ou en s'étourdissant pendant des heures à surfer sur les réseaux sociaux. Pour d'autres encore, la tentative d'évitement pourrait prendre la forme d'un marathon pour obtenir un autre diplôme, un poste supérieur, une promotion, ou pour s'engager dans une énième relation.

Et pour fuir l'instant présent, nul besoin de sortir de la pièce. Notre incapacité à nous arrêter de penser à hier, à demain, s'interpose continuellement entre nous et la réalité. Vérifiez cela par vous-même en vous observant vivre dans la prochaine demi-heure. Chez la plupart d'entre nous, les pensées mobilisent l'attention, et la tendance à s'évader mentalement est si compulsive que nous passons presque la totalité de notre temps à vivre dans notre tête.

Heureusement, chacun possède la capacité d'entraîner son esprit pour éveiller et intensifier sa présence et vivre de manière plus consciente. Pour y parvenir, il faut redevenir maître de son attention. Et la méditation est un fabuleux outil pour nous aider à transformer notre déficit d'attention en une présence accrue. Méditer, c'est apprendre à se focaliser sur l'instant présent, tel qu'il se présente à nous.

Prêter attention

Combien de fois sommes-nous rentrés à la maison, vidés de notre énergie, mais sans savoir pourquoi ? Combien de fois avons-nous eu l'impression d'être partout et nulle part en même temps ? Vivre avec un esprit dispersé, c'est comme laisser les portes et les fenêtres de notre maison grandes ouvertes, en pleine tempête de neige. Ce déficit d'attention nous coûte extrêmement cher en ressources et en énergie.

Parce que nous n'avons pas appris à cultiver un état de présence attentive et bienveillante au cœur de notre quotidien, nous perdons le contact avec l'essentiel. Et l'essentiel, c'est l'instant présent. L'attention est le seul moyen par lequel nous pouvons accéder au moment présent, et ce faisant, à la réalité et au monde. Quand nous dirigeons notre attention sur ce qui se passe ici et maintenant, tous nos sens s'ouvrent. Un moment des plus ordinaires peut devenir l'expérience la plus riche qui soit.

Que nous nous en rendions compte ou non, toutes nos activités sont influencées par notre attention. Notre survie, notre état de santé physique et mentale, autrement dit notre bien-être global, dépendent de notre niveau d'attention. Quand notre attention est dispersée ou agitée, elle entraîne notre esprit dans tous les sens et dans toutes les directions. En revanche, quand elle est centrée et ouverte, établie dans l'ici et le maintenant, nous sommes entièrement réceptifs et présents aux gens, à l'environnement, aux événements. De surcroît, nous nous sentons plus vivants. Nos habitudes les plus routinières en apparence, comme partager un repas en famille ou discuter avec un ami, se transforment en de véritables découvertes.

Par exemple, lorsque vous traversez un moment difficile, le simple fait d'être vraiment attentif à ce qui se passe en vous et autour de vous apportera une tonalité différente à vos expériences. Et bien qu'elle ne soit pas miraculeuse, la pratique de l'attention, jumelée à cette qualité d'être qu'on appelle la bienveillance, rendra ces instants douloureux moins pénibles à vivre.

Être bienveillant, c'est faire preuve d'acceptation, d'attention et d'écoute profondes envers soi-même. Quand je guide des séances méditatives, certaines personnes me confient qu'elles éprouvent une certaine résistance à l'égard de l'exercice de la bienveillance. Elles croient qu'elles vont devenir égocentriques ou elles associent ce sentiment à de l'apitoiement ou à un caractère faible. Faire preuve de bienveillance envers soi-même ne signifie pas qu'il faille satisfaire tous ses petits désirs au détriment des autres, et ce n'est faire preuve ni de laxisme ni de passivité. C'est tout le contraire. Diriger un regard de compassion et une douce attention, sans porter aucun jugement, vers nos propres souffrances nous apporte la force intérieure, la dignité et la sagesse de traverser nos expériences de façon plus consciente.

Être attentif et bienveillant, comme vous le constaterez par vous-même, c'est une formidable alchimie pour méditer, mais aussi pour vivre de manière authentique et libre. Être ouvert, disponible et réceptif à qui vous êtes et à ce qui est, à chaque instant, voilà ce qu'on appelle vivre en pleine présence.

C'est par notre pleine présence au monde que notre vie se transforme. En réalité, rien n'est plus important et plus précieux que notre faculté d'attention. Chaque instant de notre vie en dépend.

Dans nos vies surchargées et trépidantes, apprendre à vivre en pleine présence peut sembler un enjeu de taille. Mais contrairement à ce qu'on pense, cela ne signifie pas que l'on doive déployer de grands efforts. Au contraire. Quand on s'efforce d'être présent, on ne l'est pas. En tout cas, pas pleinement.

Une pleine présence, réelle et vivante, ne se trouve pas à force d'effort et de volonté. Car elle est déjà là, au cœur de soi. C'est donc dans le relâchement de toute résistance et dans la pratique de l'attention bienveillante qu'on arrive à être présent, à soi-même et au monde, entièrement et intensément.

L'art de méditer en pleine présence consiste à laisser aller nos jugements, nos projections et nos préférences. Accueillir ce qui est. Ressentir ce qui se passe. Ce sont là des étapes essentielles pour faire l'expérience réelle et vivante de chaque instant. En ce sens, le don suprême que nous fait la méditation, c'est de nous éveiller à notre vie.

Rien d'autre

Il y a très longtemps, au Japon, la renommée d'une tenancière d'une maison de thé était telle que les gens venaient de partout pour savourer le fruit de son savoir-faire.

Un jour, un homme d'affaires prospère, qui vendait aussi du thé dans la région, rendit visite à cette honorable dame dans le but de connaître son secret et de lui soutirer sa clientèle.

En entrant dans la célèbre boutique, il sentit bien qu'il y avait en ces lieux quelque chose de différent. Malgré les nombreux clients, l'atmosphère était paisible, comme si le temps s'était arrêté de courir.

«Donnez-moi votre plus grand cru», ordonna l'homme à la vieille dame en prenant place au comptoir.

Quelques minutes plus tard, la tenancière déposa un bol fumant devant lui. L'homme en prit une gorgée, mais d'une manière mécanique et inconsciente. Rien dans ce breuvage ne semblait supérieur au thé qu'il vendait. Était-ce possible que la popularité de l'endroit ne tenait pas simplement à la qualité du thé qu'on y servait ?

« Je ne vois vraiment pas pourquoi votre thé est considéré comme meilleur que le mien », dit-il d'un ton arrogant à sa « rivale ».

Sur ce, la dame prit le bol devant l'homme, le porta lentement à ses lèvres pour en savourer son contenu, comme s'il recelait toutes les saveurs de l'univers.

« Ici, monsieur, quand on boit un thé, on le fait avec l'entièreté de son être, sans penser à autre chose et sans rien faire d'autre », dit-elle avec sagesse.

Quand nous sommes intimement reliés à nos sens et que nous sommes attentifs et présents à nos expériences, la beauté et la richesse du monde s'offrent à nous.

Vivre plus consciemment

Pour bon nombre d'entre nous, que l'on en soit conscient ou non, les journées se suivent et se ressemblent. Notre esprit répète en boucle à peu près les mêmes pensées qu'hier ou qu'avant-hier. Et du matin au soir, nous exécutons, à peu de choses près, les mêmes gestes. Parce que notre vie est si affairée, nous ne voyons plus ces conditionnements qui étouffent notre joie d'être, notre créativité et notre spontanéité. Mais si, au lieu de vivre sur le pilotage automatique, on s'exerçait à « être » en pleine présence, que se passerait-il ? Ne croyez-vous pas que notre quotidien serait nettement plus agréable ?

Si au lieu d'être perdu dans ses pensées, à revivre hier ou à planifier demain, on décidait d'être aux premières loges de sa vie, qu'est-ce que cela pourrait changer ? Prenons un moment pour imaginer à quoi ressemblerait notre vie si nous prêtions attention, toute notre attention, aux petits comme aux grands moments de l'existence.

Être en pleine présence, c'est choisir d'être attentif à ce que l'on fait au moment où on le fait. Et on peut s'y exercer en tout lieu et en tout temps. Quand on se brosse les dents, on se brosse les dents, sans fuir ni ruminer dans sa tête. Quand on déguste un thé, on le savoure pleinement. Si on est dans une file d'attente, on est pleinement là, corps et esprit ensemble, dans l'instant présent ; on ne piétine pas d'impatience. Quand on rentre à la maison après le boulot, on choisit d'être là, chez soi, à cent pour cent ; on n'est pas mentalement encore au travail, à régler un dossier ou à tenter de résoudre un problème.

Autrement dit, on brise cette manie qu'on a de vivre comme si on était divisé en deux. À quoi cela peut-il servir de vivre ainsi ? Premièrement, plutôt que d'exécuter les choses mécaniquement, on devient plus conscient de ce qui se passe en soi et autour de soi, d'instant en instant. Deuxièmement, la pleine présence aide à lever le voile sur ce que l'on pense, ce que l'on perçoit, ce que l'on ressent par rapport à nos expériences.

Prenez par exemple une tâche qui vous pèse. Faire la lessive, sortir les ordures, nettoyer le garage, tondre la pelouse, ou toute autre tâche que vous considérez comme une corvée. La plupart du temps, la lourdeur ressentie ne relève pas de la tâche elle-même. Car si c'était le cas, tout le monde, sans exception, aurait la même réaction devant cette tâche. Et vous savez bien que ce n'est pas le cas. C'est l'interprétation que votre esprit en fait qui détermine la tonalité de votre expérience.

Laissez-moi vous raconter une petite anecdote personnelle. Depuis le début de l'adolescence, la tâche qui me pesait le plus dans la cuisine était de récurer les casseroles. Je n'avais pas de mots pour décrire à quel point je détestais gratter le fond d'un chaudron. C'est un exemple des plus ordinaires, mais qui nous prouve comment, au fil des jours, des mois et des années, notre esprit peut réussir à transformer la plus banale des tâches quotidiennes en souffrance. À mon insu, je commençais à pester intérieurement une bonne demi-heure avant de m'y mettre. Pour rendre les choses encore plus pénibles, tout au long de ma corvée je continuais de me plaindre intérieurement.

C'est grâce à l'exercice de vivre plus consciemment qu'un jour j'ai compris que je créais moi-même ce désagrément. J'engendrais cette réalité de toutes pièces. Partout dans le monde, des gens nettoient des chaudrons quotidiennement, sans en faire un drame. Je n'avais donc plus à gaspiller ce temps à vouloir m'éviter cette tâche, mais simplement à m'exercer à demeurer présente grâce à l'attention bienveillante. Je me disais que si je parvenais à ramener mon attention sur ma respiration quand mon esprit s'agite, résiste ou formule des critiques, ce serait une belle victoire.

Le lendemain de cette prise de conscience, tout de suite après le repas, je me suis installée à l'évier. Tout en respirant calmement, j'ai dirigé toute mon attention vers mes gestes au lieu d'écouter les pensées dissonantes dans ma tête. Je n'avais pas à me faire croire que j'aimais cette tâche ; je n'avais qu'à prendre conscience de ce qui se passait en moi, mais sans me juger. Au fur et à mesure que je nettoyais les casseroles, ma respiration devenait plus profonde et mon esprit, plus calme. J'ai terminé ma tâche sans effort et sans souffrance. Et j'ai réalisé, ce soir-là, à quel point cette simple pratique pourrait m'être précieuse dans toutes sortes de circonstances. Qu'une expérience soit jugée agréable ou désagréable par mon esprit, l'exercice de pleine présence avait le pouvoir de changer la tonalité de tout moment. Elle m'offrait la possibilité de changer mon regard sur les choses. De faire de mon monde un perpétuel renouveau.

Au cours de notre vie, nous avons et nous aurons tous besoin d'être plus attentifs, plus réceptifs et plus présents. Que ce soit pour effectuer une simple tâche routinière ou pour affronter un changement important, chaque instant de notre existence peut se vivre plus consciemment.

Développer une présence attentive et profonde peut transformer votre journée, votre vie, votre monde. Dès que vous sortez du jugement de ce qui est, votre expérience change. Du moment où vous n'êtes plus à lutter contre ce qui est ou ce qui n'est pas, vous accédez à ce qu'Eckhart Tolle appelle si justement le « pouvoir du moment présent ».

Dans cet éternel présent, chaque pensée, chaque mot, chaque geste peut se faire plus consciemment. Chaque expérience peut se vivre en pleine présence.

Ne croyez-vous pas que si on arrivait à prêter attention pleine-ment à chaque instant de l'existence, soixante années vécues sur terre équivaudraient à cent vingt ans ?

CE QUI SE DÉPLOIE

Dans le texte méditatif qui suit, découvrez comment il est simple de plonger au cœur de l'instant présent quand on prête une attention bienveillante à ce qui est.

Arrêtez-vous un instant.

Faites une pause, ici et maintenant.

Inspirez et expirez lentement et profondément par le nez.

Détendez maintenant vos yeux et votre mâchoire.

Relâchez vos épaules.

À présent, prêtez attention à ce qui se déploie dans le moment présent.

Ouvrez grand vos oreilles et accordez une écoute attentive aux bruits environnants.

Avez-vous remarqué également le silence entre les sons ?

À présent, prêtez attention aux odeurs qui flottent dans l'air.

Sentez-vous maintenant tous les arômes qui vous entourent ?

Voyez maintenant si vous pouvez ressentir l'air qui touche votre visage.

Accueillez tout ce qui se présente, ici et maintenant, avec la même attention.

Levez les yeux de cette page pour un instant et embrassez du regard les formes, les couleurs et les objets qui vous entourent.

Observez attentivement et avec émerveillement les petites et grandes choses de votre quotidien.

Savourez pleinement la richesse et la beauté de cet instant.

Exercez-vous ainsi, quelques minutes par jour, à être véritablement présent et progressivement vous allez redécouvrir votre monde.

Méditer en toute simplicité

Un trésor caché

Il était une fois un pauvre homme qui vivait dans une hutte des plus délabrées. Chaque jour, il s'asseyait sur une vieille caisse de bois placée devant sa porte pour mendier quelques sous aux passants. Le soir, l'homme rentrait dans sa hutte en se plaignant d'être plus pauvre et plus malchanceux que les autres habitants de son village. Et chaque nuit, il s'endormait en rêvant qu'un jour il serait riche et heureux.

Les années passèrent et rien ne changeait dans la vie du mendiant. Jusqu'au jour où un aristocrate de la région passa à cheval devant sa maison.

« S'il vous plaît, monsieur, aidez-moi », implora le mendiant en tendant la main vers l'étranger.

« Mais pourquoi mendiez-vous ? » lui demanda l'homme.

« Parce que je suis pauvre et que je n'ai rien que cette misérable hutte et cette poussiéreuse caisse de bois. »

« Vieil homme, lui dit l'étranger, vous n'êtes pas pauvre, vous êtes ignorant. Vous êtes-vous déjà levé pour soulever le couvercle de cette caisse et vérifier ce qu'elle contient ? »

« Non, c'est inutile, ce n'est qu'une simple boîte de bois », rétorqua le mendiant, offusqué parce que l'homme riche ne lui donnait pas de pièce. L'aristocrate haussa les épaules et reprit la route.

Ce soir-là, au lieu de rentrer dans sa hutte pour se plaindre de son sort, le mendiant chercha un bout de bois pour soulever le couvercle de la caisse. Il y mit des efforts et de la patience, mais finalement le couvercle s'ouvrit. À sa grande surprise, il constata que sa caisse de bois était remplie de pièces d'or. Il avait été riche toute sa vie, sans même soupçonner que sa fortune était si près de lui.

Cette leçon me fait penser à mon histoire personnelle. Durant de nombreuses années, j'ai attendu que le monde extérieur me définisse. J'ai attendu qu'il donne un sens à ma vie en comblant mes désirs, mes manques, mes espérances, mes besoins et mes attentes. J'attendais patiemment et depuis longtemps, sans en être consciente, qu'un nouvel objet, une nouvelle relation, une nouvelle expérience donnent un sens plus riche et plus profond à mon existence.

Dans la vie de tous les jours, certains d'entre nous sont un peu comme ce mendiant: ils tendent la main dans la mauvaise direction. En d'autres mots, ils ignorent les ressources insoupçonnées cachées au fond d'eux-mêmes.

La méditation, c'est le «bout de bois» qui nous aidera à découvrir ces richesses dissimulées sous le voile de notre esprit. C'est là que se trouve la clé du bonheur intérieur.

Ce n'est pas
ce que vous croyez

Dès qu'on entend le mot « méditation », toutes sortes d'images et de symboles nous viennent en tête : une personne assise en tailleur, le visage paisible d'un moine bouddhiste ou celui d'un yogi dans un état d'illumination. Ces représentations nous poussent à croire que « méditer » consiste à s'efforcer de conserver une posture inconfortable soit pour faire le vide complet en soi, ou pour atteindre un état d'extase.

La méditation que je pratique et que j'enseigne n'est rien de tout cela. Pour moi, méditer signifie simplement m'exercer à être présente et attentive à ce qui se passe en moi et autour de moi, dans l'instant présent, sans jugement.

C'est une pratique toute simple. (Ici, « simple » ne signifie pas que la méditation est facilement acquise, mais bien plutôt qu'elle ne nécessite pas de maîtriser une technique compliquée, de suivre un rituel ésotérique ou une règle religieuse.) La vérité, c'est que tout le monde peut apprendre à méditer. Que l'on ait cinq ans ou quatre-vingt-cinq ans, chacun de nous possède cette faculté naturelle de présence, à un degré ou à un autre.

Comme l'expliquait un grand maître zen, « être en méditation, c'est se contenter d'être assis quand on est assis ; de manger quand on mange ; de marcher quand on est en train de marcher ». Mais pour atteindre cette simplicité et cette plénitude d'être, nous devons savoir comment entraîner notre esprit à demeurer stable, attentif, calme et centré.

Cependant, le monde de l'esprit est un univers mystérieux. Autrement dit, on ne peut s'y imposer par la volonté, pas plus que l'on peut forcer l'esprit à s'apaiser ni à prêter attention à quoi que ce soit. L'esprit est habitué d'être libre et de pouvoir courir à droite, à gauche et dans tous les sens. C'est lui qui, actuellement, gère seul vos pensées, vos humeurs et vos émotions.

C'est lui aussi qui filtre la réalité et qui projette sur les choses, les gens, les événements, des qualificatifs comme « bon », « mauvais », « agréable », « désagréable », « beau », « laid », « stimulant », « ennuyeux ». C'est précisément cet étiquetage qui dicte toutes vos expériences.

Un esprit laissé à lui-même s'évade continuellement hors du moment présent. Il fabrique à volonté des désirs, des envies, des regrets, des ressentiments, des peurs et des angoisses. Ainsi, vous pourriez tout mettre en œuvre pour contrôler chaque détail de votre vie, combler chaque désir, satisfaire chaque envie, mais si vous n'avez aucun contrôle sur votre esprit, ce sera toujours à recommencer. Heureusement, grâce à la recherche scientifique, on sait aujourd'hui que chacun possède la capacité d'entraîner son esprit.

Parmi les récentes découvertes en neurosciences, l'une des plus fascinantes est la neuroplasticité. Votre esprit possède le pouvoir de créer de nouvelles connexions, de nouveaux neurones, et même d'élaborer de nouveaux réseaux continuellement. Tout comme un électricien peut refaire l'installation électrique de votre maison, par l'intermédiaire de la méditation vous pouvez remanier la circuiterie de votre cerveau.

Retenez bien ce mot : *neuroplasticité*. Quand notre cerveau change, notre esprit change ; et quand notre esprit change, notre conscience de qui nous sommes et du monde qui nous entoure change aussi. Et autre bonne nouvelle : les chercheurs confirment que notre cerveau peut changer à tout âge, et tout au long de notre vie.

Le but de la méditation est donc de vous faire découvrir cet immense potentiel qui dort en vous.

Entraîner son esprit

Ici, vous pourriez vous questionner sur la raison d'être d'une telle aventure. Certaines personnes diront peut-être qu'on peut tout aussi bien vivre l'instant présent sans avoir à passer par la méditation. Elles ont en partie raison. Sans savoir méditer, vous avez déjà accès au moment présent et vous pouvez même le vivre consciemment.

Cependant, sans l'entraînement de votre esprit par la méditation, votre expérience de pleine présence ne durera pas très longtemps. Après quelque temps, votre esprit commencera à s'agiter et vous éprouverez de grandes difficultés à lui tenir la bride. Un esprit agité, c'est comme un cheval fou : après un certain temps, il se remettra à galoper à vive allure vers le passé ou en direction du futur.

Ce qui rend l'expérience méditative si féconde et si génératrice, c'est précisément qu'elle apprend à l'esprit à demeurer centré en lui-même, à supprimer cette habitude de laisser son attention courir dans tous les sens.

Pour y parvenir, vous aurez besoin de deux choses : la première, fournir à votre esprit ce qu'on appelle en méditation un « ancrage », et la seconde, adopter une posture assise dans laquelle vous vous sentirez stable et confortable.

Débutons avec ce premier point. Qu'il s'agisse de ressentir le va-et-vient de votre souffle ou de rester concentré sur l'écoute d'un son ou de la voix d'un instructeur, un ancrage est un objet de méditation qui vous servira à conserver votre attention au moment présent. L'entraînement attentionnel consiste donc à apprendre à l'esprit à se poser, à se détendre et à prêter attention à l'objet de votre méditation. Dès que son attention faiblit, qu'une pensée ou qu'une distraction l'entraîne ailleurs, on le ramène à son ancrage. Au début, l'esprit va se rebiffer. C'est normal, car il a l'habitude d'être libre et de vagabonder à sa guise. Vous aurez donc à faire preuve de patience, de tolérance et de persévérance pour qu'il coopère.

Un des outils les plus importants pour encourager l'esprit à se poser, c'est le second point : l'établissement d'une posture stable et confortable. Quand je guide une expérience méditative, que mes étudiants soient néophytes ou des pionniers de la méditation, je prends toujours un moment pour revoir la base de la posture assise. Cela peut sembler exagéré d'accorder tant de temps et d'importance à la position du corps, mais il ne s'agit pas ici de la manière habituelle de s'asseoir comme on le fait en conduisant une voiture, en travaillant à l'ordinateur, ou d'une simple façon de soulager nos jambes après une longue marche.

Il faut donc savoir que votre position en méditation n'est pas simplement le fait de vous asseoir ; c'est aussi une proclamation de votre présence bienveillante. Sous tous les angles, votre posture méditative devrait vous permettre d'habiter votre corps pleinement, avec respect, stabilité et dignité. Il ne s'agit donc pas d'une simple posture que nous devons adopter, mais d'une marque d'attention et de bienveillance envers nous-mêmes et le monde qui nous entoure. En cela, prendre place en méditation est un très beau geste de compassion.

Le bon moment...

Attendre que vienne le « bon » moment pour méditer, c'est
comme attendre à demain pour vivre l'instant présent.

Que vous disposiez de cinq ou de trente minutes,
que vous soyez assis dans le métro ou au bureau,
allongé sur le canapé, à la maison,
debout dans une salle d'attente ou en file à la banque,
vous pouvez méditer, n'importe où,
n'importe quand.

Il s'agit simplement d'être là, où vous êtes,
de respirer calmement, et d'être en paix intérieurement
avec ce qui se présente à vous,
avec ce qui se manifeste en vous, sans attente et sans
jugement, instant après instant.

Se préparer à méditer

On me demande souvent quel est le meilleur moment de la journée pour méditer. Je réponds que c'est celui qui vous convient le mieux. Certaines personnes préfèrent méditer le matin, au réveil, d'autres en fin de journée, et d'autres encore en soirée. Personnellement, je recommande à mes étudiants de méditer dès le réveil, car l'esprit est plus malléable et le «parfum» de la pratique nous suit durant la journée.

Cela dit, que ce soit le matin ou le soir, de bon gré ou non, que cela vous plaise ou pas, faites de votre pratique méditative un rendez-vous quotidien. Inscrivez-la à l'agenda sous l'onglet «non négociable». Ne cherchez pas mille et une excuses pour ne pas méditer. Personne n'a le temps, et pourtant beaucoup méditent tous les jours. Méditer, croyez-moi, n'est jamais une perte de temps.

Si vous débutez dans la pratique, je vous suggère de vous limiter à de courtes séances de cinq à dix minutes. Quand les exercices sont brefs, l'esprit ne se rebiffe pas et, au fil de la journée, ces moments de méditation s'additionnent. Vous pouvez même segmenter votre pratique en méditant cinq minutes le matin et cinq minutes le soir.

Pour vous aider à persévérer, méditez si possible à heure fixe. Il est toujours plus facile de vous discipliner quand vous faites une chose tous les jours à la même heure. Et efforcez-vous de respecter le temps prévu pour chaque séance, même si cela vous est difficile.

Pour ne pas avoir à vous préoccuper du temps, utilisez un minuteur, comme celui des cuisiniers, un réveil, une montre, ou téléchargez une application avec une cloche ou le son d'un gong indiquant la fin de la séance.

Si vous méditez à la maison, éteignez la télé ou installez-vous dans une pièce où vous ne serez pas dérangé. Si vous méditez au travail, déterminez un endroit particulier, éteignez téléphone et ordinateur.

À présent, parlons de la posture. La plupart d'entre nous sont plus confortables pour méditer assis sur une chaise de salle à manger, une chaise droite ou un fauteuil rembourré. Ainsi, on prend place sur le bord du siège, on allonge la colonne vertébrale, on pose les mains sur ses cuisses et les pieds à plat au sol.

Si vous préférez être assis en tailleur, choisissez un coussin assez ferme pour soutenir votre dos. Vérifiez que les genoux sont plus bas que les hanches afin de ne pas comprimer le bas du dos.

Vous pouvez aussi méditer assis sur un petit banc de bois. Dans cette position, vous êtes agenouillé et le banc supporte aisément vos fessiers et vos hanches. Pour plus de confort, il est possible de régler la hauteur du banc en glissant une serviette ou un coussin sur le siège.

Que vous soyez assis en tailleur ou sur une chaise, commencez par vous asseoir de manière à distribuer votre poids également entre vos fessiers. Allongez la colonne vertébrale pour que le dos soit droit, mais conservez la cambrure naturelle des reins. Laissez les mains reposer naturellement sur les cuisses. Détendez les épaules, le cou et la mâchoire.

Les personnes malades, à mobilité réduite ou celles qui éprouvent des douleurs physiques ne doivent pas hésiter à méditer en position allongée. Il vous suffit simplement de vous étendre sur le dos en glissant un petit coussin sous la tête et un support sous les genoux pour réduire l'effort du bassin et du dos. Cependant, si vous méditez dans cette position, je vous recommande de conserver les paupières mi-closes, et votre regard se portera naturellement dans le prolongement du nez. Cela vous gardera éveillé, et vous éviterez ainsi de somnoler ou de vous endormir pendant la séance.

Au sujet des yeux, certaines écoles de méditation suggèrent de méditer les yeux mi-clos, tandis que d'autres recommandent de garder les yeux fermés. Les deux approches se valent. Pour méditer les yeux à demi ouverts, fixez un point un peu plus bas, à environ un mètre devant vous. Conservez le regard détendu et accueillez visuellement ce qui entre et sort de votre champ de vision. Cela permet d'accueillir la réalité et le monde qui vous entoure tel qu'il est. Toutefois, aux débutants qui pratiquent en position assise, je suggère de commencer les yeux fermés, sans les plisser. Lorsque votre esprit sera posé et plus calme, vous n'aurez qu'à ouvrir les yeux à demi pour continuer le développement de la force de votre esprit.

Maintenant, si une douleur ou un inconfort physique surgit en cours de méditation, tentez de respirer lentement pour détendre la région affectée et pour élargir l'espace de votre conscience. En peu de temps, il se peut que vous constatiez que l'inconfort est disparu. Mais s'il persiste, modifiez délicatement votre position pour soulager vos articulations. Après votre séance, revoyez les instructions concernant la posture ou vérifiez le siège afin de vous sentir plus confortable lors de votre prochaine séance.

Cela dit, même si la position du corps est importante, ce n'est pas une fin en soi. C'est une étape, un préliminaire important, mais ce n'est pas le but ultime de la méditation. L'essentiel, je le répète, c'est d'apprendre à prêter une attention ouverte et bien-veillante sur ce qui se passe en vous-même et dans le monde qui vous entoure.

Le temps de se poser

Pendant mes formations en méditation, mes professeurs m'ont toujours enseigné que méditer débute par la détente du corps. Cette première étape, l'une des plus importantes, ne doit pas être ignorée. Parfois, des gens prennent place et d'emblée s'efforcent de demeurer statiques et concentrés. Or, sans un corps détendu, il est difficile d'obtenir la coopération de l'esprit. Un corps rigide entraîne un esprit rigide, disaient mes maîtres.

Pour parvenir à vous libérer des tensions corporelles et à enclencher le processus de relaxation, je vous suggère de prendre cinq ou six longues et profondes respirations par le nez. Respirer lentement et consciemment est un fabuleux moyen de relancer la circulation d'énergie dans notre corps, de le soulager de la fatigue et du stress, et de le libérer de la lourdeur et des tensions. En quelques minutes, vous sentirez votre corps plus ouvert et plus dégagé. (Les personnes qui éprouvent des difficultés à focaliser leur attention sur le souffle peuvent se concentrer sur différentes parties de leur corps en les invitant simplement à se détendre.)

Parfois, je rencontre des personnes qui, quand vient le temps de s'asseoir avec elles-mêmes, ressentent une certaine anxiété. Il est vrai que lorsqu'on débute en méditation, le simple fait d'être immobile et en silence peut inciter l'esprit à s'affoler. Dans ce cas, je dis à ces personnes de ne surtout pas se décourager. Je leur recommande simplement de déterminer une intention avant de méditer. En se servant de leur respiration, elles peuvent choisir un mot pour guider leurs énergies physique et mentale : « calme », « paisible », « ouvert », « confiant », « léger », « bienveillant », etc.

Par exemple, « j'inspire le calme, j'expire le stress » ; ou « j'inspire la confiance, j'expire la peur » ; ou encore, « j'inspire la paix, j'expire le jugement ».

Ce ne sont là que de simples mots, mais une intention, à force d'être répétée consciemment, peut, grâce au pouvoir du souffle, rapidement devenir un trait d'esprit positif qui nous porte et nous soutient tout au long de notre pratique.

Simplement être

Être juste ici.
Maintenant.

Accueillir ce qui est.
Instant après instant.
En inspirant et en expirant
naturellement.

Sans rien vouloir changer.
Même pas soi-même.

Au cœur
de la méditation

Maintenant que vous avez établi votre posture et que vous êtes prêt à méditer, que faire ? Rien. Oui. Vous avez bien lu.

Il n'y a rien à « faire ».

Donc, restez tranquillement assis là, à respirer naturellement.

Ne recherchez rien d'extraordinaire. N'attendez rien d'excitant.

Contentez-vous simplement d'être là.

Méditer, c'est se rendre entièrement disponible à l'instant présent.

Soyez simplement témoin de ce qui se passe en ce moment même.

Ne déployez aucun effort.

Laissez-vous être.

Observez calmement ce qui est, sans étiqueter votre expérience comme étant bonne, banale, neutre ou mauvaise.

Demeurez paisible et détendu avec ce qui est.

Tel un spectateur silencieux, restez assis, sans vous laisser distraire par vos pensées. Il ne sert strictement à rien de lutter contre elles. Acceptez sereinement les fluctuations de votre esprit.

On dit souvent que l'esprit s'évade, mais en vérité, l'esprit ne va nulle part. C'est plutôt notre attention qui s'échappe de notre objet de méditation. Un très bon moyen pour la stabiliser est de lui confier une tâche, comme celle d'observer le mouvement du souffle, par exemple.

Tout en explorant les sensations de votre respiration, soyez calme et détendu. Et, surtout, soyez patient. Patience. Le mot a été évoqué déjà, mais lorsque vient le temps de s'exercer à méditer, on doit le répéter, encore et encore.

Vu de l'extérieur, cela peut sembler étrange : vous êtes là, à ne pas bouger, à ne rien faire, mais à l'intérieur de vous, il peut se passer un tas de choses : l'agitation, le calme, l'inquiétude, l'ennui ou la dispersion de l'esprit. Ne vous attardez pas aux difficultés, aux inconforts. Tout cela est passager.

C'est précisément en ignorant ces légers irritants que vous progresserez à la séance suivante.

Enfin, ne réfléchissez pas au fait que vous êtes en train de méditer. Oubliez tout cela. Soyez simplement en pleine présence avec ce qui est. Contentez-vous d'en faire l'expérience.

Portez toute votre attention sur ce moment. Dès que votre attention s'égare, centrez-la de nouveau sur cet instant même. C'est ainsi que l'on médite. C'est ainsi que la pratique se crée. C'est ainsi qu'elle se vit. C'est ainsi qu'elle se solidifie.

À chaque instant, revenez ici et maintenant. C'est là le cœur de la méditation.

Ce qui se passe en méditant n'est que le reflet de l'état passager de notre corps et de notre esprit. En ce sens, vous constaterez que tout cela est appelé à passer. Rappelez-vous que lorsqu'on parle de méditation, on ne parle pas d'une séance où tout est confortable, beau et paisible. On parle d'un esprit qui demeure stable au milieu des circonstances changeantes de l'existence.

Lorsque votre séance est terminée, sortez lentement et consciemment de la méditation. Ne précipitez pas vos gestes. Une merveilleuse manière de clore votre séance est de dédier les bienfaits de la méditation à quelqu'un qui souffre ou de l'offrir pour le bien-être de l'humanité.

Méditer, c'est la pratique des recommencements. Parfois, vous aurez l'impression de progresser. Et parfois, de revenir à la case départ. Chaque fois que vous êtes sur le point de vous décourager, rappelez-vous que vous ne pouvez pas échouer en méditation, car il n'y a rien à réussir. La méditation n'est pas une sorte de gymnastique pour l'esprit; elle ne vise pas à faire de vous un athlète de haut niveau de la concentration, ni même à faire de votre séance une « meilleure » expérience.

Par la méditation, vous affirmez votre attention bienveillante envers tout ce qui vit, tout ce qui est. Rappelez-vous que la qualité de chaque instant de votre existence est reliée à votre façon de percevoir la réalité et à votre pleine présence au monde. En ce sens, n'arrêtez pas de pratiquer simplement parce que votre séance de méditation assise est terminée. Méditer est un art de vivre. Alors, voyez votre quotidien comme un prolongement de votre expérience méditative. Exercez-vous. En tout temps. En tout lieu. En toutes circonstances.

S'UNIR AU SOUFFLE

L'exercice qui suit est particulièrement bénéfique en cas de stress, ou à n'importe quel moment où vous aurez besoin de retrouver votre calme ou de reprendre votre souffle.

Là où vous êtes, asseyez-vous confortablement.

Prenez quelques profondes respirations pour vous détendre.

À présent, reliez-vous à votre souffle. Ne faites plus qu'un avec lui.

Ressentez-vous ce mouvement fluide au sein de votre ventre ?

Si vous éprouvez des difficultés à localiser votre respiration, posez une main sur votre abdomen. Ressentez-vous votre corps qui inspire et expire ?

Ici, il ne s'agit pas de rechercher une sensation agréable ou de détecter un problème quelconque avec votre façon de respirer, mais de simplement ressentir chacun de vos souffles.

Quand nous dormons, notre corps sait très bien respirer par lui-même, tout naturellement, sans faire d'effort. Respirer n'est pas un travail qu'on accomplit ; c'est un cadeau que nous fait la vie.

Veillez donc à prêter une délicate et soigneuse attention
à chaque respiration.

Chaque souffle est un don du ciel.

Alors, pour le moment, ne désirez rien de plus.

Éprouvez pleinement la joie de respirer.

La gratitude d'être vivant, en cet instant.

Sentez-vous libre de poursuivre cet exercice aussi longtemps
que vous le voulez.

Et répétez-le souvent dans la journée, où que vous soyez,
dans le bus, dans une file d'attente, n'importe où.

Différentes formes, même essence

Quand des étudiants me demandent s'il est préférable de méditer en silence ou avec l'accompagnement d'un enregistrement sonore, je leur réponds qu'à mon avis, les deux approches se valent.

Le simple fait d'être guidé par une voix extérieure, celle d'un instructeur ou celle d'un album préenregistré, est un excellent outil pour ancrer rapidement un esprit surchargé, stressé ou dispersé. L'un des grands avantages de la méditation guidée est qu'elle nous aide à constater rapidement si notre esprit est dans l'instant présent ou s'il s'est échappé vers le futur ou vers le passé. Par exemple, une guidance sert à nous rappeler de diriger l'attention sur la respiration et/ou sur des ressentis dans le corps. De plus, quand l'esprit est inquiet ou survolté, une guidance extérieure lui permet de se déposer plus facilement. Elle s'avère particulièrement utile pour renforcer la concentration dans le bus, le métro, ou dans tout lieu public.

Un autre avantage de la guidance extérieure est qu'elle peut nous aider à faire surgir plus rapidement la bienveillance, à développer la compassion. Une séance dirigée facilite aussi l'accès à des ressentis enfouis dans l'inconscient. Par exemple, une méditation peut vous aider à passer graduellement de la colère à la paix intérieure, de l'anxiété au calme, de la peur à la confiance en vous-même. Et c'est à cet égard que ces méditations guidées sont si précieuses à mes yeux, car elles produisent rapidement des résultats concrets et satisfaisants.

Méditer en silence est un travail d'exploration intérieure qui nous apprend à gérer par nous-mêmes nos pensées et nos états d'âme. Cela requiert un désengagement complet de tout processus mental pour se hisser à un niveau de conscience plus ouvert et plus vaste. C'est aussi une pratique qui incite à cultiver davantage de patience, de tolérance et de souplesse envers soi-même. Ce sont là des qualités essentielles en méditation comme dans la vie de tous les jours.

Il existe une autre catégorie de pratiques méditatives dites « actives », comme la méditation en marchant, des méditations avec sons, la cérémonie du thé japonais, le ratissage d'un jardin zen, le yoga, le qi gong et le taï-chi, pour en nommer quelques-unes. Ces pratiques se focalisent sur la détente, la concentration, l'immersion, la contemplation. Elles sont de plus en plus répandues et contribuent grandement à cultiver la pleine présence dans notre vie au quotidien.

Ici, un mot de prudence sur les dérivés de la méditation qui, trop souvent, surgissent pour satisfaire notre envie de divertissement et de nouveauté. Ne vous laissez pas entraîner dans des formes superficielles et méfiez-vous particulièrement des méthodes qui exigent de vous une forte somme d'argent ou une grande dévotion à un maître quelconque.

Peu importe la forme méditative, rappelez-vous que ce n'est pas tant la technique que vous pratiquez qui compte, mais bien votre pleine présence, votre attention bienveillante. La méditation ne vous demande pas de faire des prouesses, de vous asseoir de longues heures, de marcher des kilomètres, de faire de folles dépenses, de vous incliner devant qui que ce soit ou de tout chambarder dans votre vie.

Cependant, de la même manière qu'on ne voudrait pas vivre notre vie à moitié, on ne peut méditer sans y engager l'entièreté de notre être. En revanche, le temps passé en méditation, que ce soit en position assise, en marchant ou autrement, vous servira à vivre de manière plus consciente à tout autre moment de votre existence.

ALLER ET RETOUR

La méditation « marchée » est une pratique simple qui convient à n'importe quel moment de la journée, à l'intérieur comme à l'extérieur. Elle est particulièrement bénéfique après une dure journée de travail, un long trajet en voiture, de longues heures passées devant l'ordinateur, ou pour libérer un esprit surchargé et discursif.

Choisissez un endroit sûr où vous pourrez faire des allées et venues, comme un couloir dans votre appartement, un parc, une rue ou un sentier. Assurez-vous de pouvoir faire de dix à trente pas d'affilée sans devoir vous arrêter.

Débutez en position debout, les pieds parallèles, et distribuez votre poids également sur vos deux jambes. Laissez les bras détendus le long du corps. Prenez cinq longues et profondes respirations par le nez pour vous centrer en vous-même.

Commencez à marcher lentement. Ne soulevez pas les genoux trop haut ; marchez simplement plus consciemment qu'à l'habitude afin de ressentir le pied qui se soulève et le pied qui se pose au sol.

Remarquez attentivement ces deux sensations : le poids du pied qui se soulève, ensuite le poids du pied qui se pose.

Prêtez attention à chaque pas, à chaque son, à chaque sensation. Si votre esprit s'évade, ramenez-le doucement en dirigeant votre attention sur vos pas.

Arrivé au bout de votre trajet, arrêtez-vous. Prenez une profonde respiration. Puis, faites demi-tour et poursuivez votre méditation.

Quand on marche en pleine présence, on marche non seulement avec soi, mais aussi vers soi. La plupart des gens découvrent en marchant le caractère éphémère des pensées, des sensations corporelles, des émotions. En effectuant la marche méditative, puisque vos yeux sont ouverts, vous allez découvrir votre environnement sous un autre angle. À chaque allée et venue, vous prendrez conscience de la beauté et de la fraîcheur de chaque instant. Tout l'art de vivre en pleine présence dépend non seulement de notre façon de nous asseoir, mais aussi de nous mouvoir dans le monde.

Pour clore la marche méditative, restez sur place quelques instants, immobile et silencieux. Inspirez doucement dans l'espace immense qui vous entoure. Trouvez là la paix et le contentement.

Un précieux outil de soin

«Ah! que ça fait du bien!» Cette phrase, je l'ai entendue des centaines de fois et je l'ai moi-même répétée à maintes reprises. Lorsque les gens arrivent à la méditation, ils ne s'imaginent pas à quel point cette pratique procure une sensation de mieux-être intérieur. Quand le mental est surchargé, que l'esprit est inquiet, que le corps est tendu, méditer crée un espace entre nos pensées, nos émotions, nos sensations corporelles. C'est de cette sensation d'espace qu'émerge un sentiment de mieux-être et de calme intérieur.

C'est l'une des multiples raisons pour lesquelles, de nos jours, la méditation est utilisée comme un outil de soin et de prévention. À ce jour, plus de six cents études démontrent les effets préventifs et thérapeutiques de la méditation sur le stress, les troubles du sommeil ou alimentaires, la douleur physique, les problèmes respiratoires et cardiaques, les affections de la peau, la souffrance émotionnelle, le déficit d'attention, les troubles de panique et de mémoire.

D'autres études scientifiques démontrent que la méditation nous permet de mieux naviguer à travers les expériences inévitables de l'existence et d'accepter la réalité avec moins de résistance. De manière générale, grâce à la méditation, on vit plus consciemment et plus profondément nos moments de joie, de bonheur et de contentement.

Par exemple, depuis une trentaine d'années, grâce aux progrès technologiques comme l'imagerie magnétique, des chercheurs en neurosciences ont constaté que la forme du cerveau est durablement modifiée par la méditation. Ainsi, méditer régulièrement a pour effet de diminuer la densité de l'amygdale (l'aire du cerveau reliée à la peur et à l'agressivité), alors que l'insula (une zone cérébrale reliée à la bienveillance et à l'empathie) augmente en densité.

En retour, ces nouvelles connexions induisent une réorganisation importante dans le cerveau, sur les plans fonctionnel et structurel. Simplement dit, au lieu de vivre dans la méfiance, le manque de confiance et la peur, nous pouvons cultiver un sentiment de paix intérieure et ainsi contribuer à la paix dans notre monde.

Pour beaucoup d'entre nous, cette découverte est une grande source de motivation. C'est précisément parce que l'esprit a la faculté de se transformer lui-même que nous pouvons changer et évoluer. Si l'esprit n'avait aucun pouvoir de transformation, toute tentative de changement dans notre vie serait totalement vaine. Voilà, en gros, les raisons pour lesquelles, du point de vue des maîtres de sagesse et des neuroscientifiques, l'esprit est un instrument si puissant.

Et, contrairement aux apparences, cette pratique n'a rien d'égocentrique. C'est l'inverse. Méditer nous permet de devenir plus conscients et plus responsables, tant sur le plan personnel, social, environnemental, qu'universel. En conséquence, les personnes qui ont intégré la pratique de la pleine présence dans leur vie, du moins celles que je rencontre, affirment que c'est grâce à la méditation si leur vision de la vie, en général, s'est transformée. Ici, il ne s'agit pas de voir la vie en rose, mais de cultiver un esprit ouvert et plus éveillé au perpétuel renouveau du monde qui nous entoure.

Naviguer
dans les vagues

Par la méditation, vous êtes invité à découvrir la source profonde et paisible qui gît dans votre for intérieur. Mais pour atteindre ce lieu tranquille, vous devrez traverser de multiples courants qui brouillent la surface de votre esprit. C'est un passage obligé. Tous les méditants passent par là.

Au début de votre aventure, l'océan de votre esprit sera agité. Les pensées, les idées, les rêveries, les projections, les interprétations, les inquiétudes, tout ce tumulte ne cessera pas sur-le-champ simplement parce que vous avez décidé de méditer.

Il n'est facile pour personne d'accueillir des pensées discursives, des émotions perturbatrices ou des sensations douloureuses, mais il est important de ne pas les rejeter ni de les repousser.

Ces expériences sont fréquentes en méditation, et le but n'est pas de faire le calme complet en soi, mais de se laisser traverser par ces différents courants d'énergie.

Apprenez à considérer vos pensées comme des vagues. Si une pensée survient, laissez-la simplement passer. Ne la suivez pas. Soyez comme l'océan qui se laisse traverser par les courants. N'ayez pas peur des vagues; apprenez plutôt à naviguer en demeurant concentré sur votre souffle : c'est là votre ancrage.

Les jours où l'océan de votre esprit est particulièrement instable, adoptez cette façon simple, mais fort efficace, de naviguer : comptez vos respirations de 1 à 10. Comptez mentalement 1 quand le ventre se soulève, et 2 quand il s'abaisse. Poursuivez ainsi jusqu'à 10, puis reprenez l'exercice. Il se peut fort bien que vous n'arriviez pas à compter plus loin que 3 ou 4; ce n'est pas très grave. Dès que vous vous en rendez compte, reprenez simplement à 1.

Si certaines séances peuvent se révéler plus difficiles, voire pénibles, ne vous découragez pas. Lâchez prise sur vos attentes. Il arrive que certaines séances nous apparaissent plus ardues ou plus ennuyeuses que d'autres, mais il arrive aussi qu'on vive des moments de joie et de paix profondes. Toutes vos séances sont importantes. Il n'y a pas de « bonne » ou de « mauvaise » méditation. Chaque pratique est essentielle. Chacune participe à votre pleine évolution.

BIEN-ÊTRE INTÉRIEUR

Saviez-vous que quand on sourit avec bienveillance,
le corps libère des endomorphines ? L'endomorphine est
un peptide sécrété par l'hypothalamus et doué de propriétés
qui procurent au corps une merveilleuse sensation de
bien-être intérieur. L'exercice qui suit vous permettra
de savourer les bienfaits d'un sourire bienveillant.

Que vous soyez en position assise, debout ou allongée, détendez-vous intérieurement. Si vous vous sentez fatigué ou tendu, prenez quelques longues et profondes respirations par le nez.

Lorsque votre corps commencera à se détendre, glissez un léger sourire sur vos lèvres ou dans vos yeux (comme si votre sourire émergeait de l'intérieur).

N'analysez pas cet exercice.

Ne réfléchissez pas à ce que vous faites, mais essayez simplement de sourire.

Soulevez légèrement le coin des lèvres.

Faites-le pour le plaisir. Tout comme le souffle a le pouvoir de nous ramener dans l'instant présent, un sourire bienveillant peut transformer notre expérience intérieure de ce moment.

Tout en respirant naturellement, maintenez délicatement votre sourire comme une invitation à être bienveillant envers les pensées, les sensations et les émotions qui surgissent, en ce moment.

Tout en continuant de lire tranquillement ces mots, laissez la sensation du sourire bienveillant se répandre sur votre visage et le détendre.

Sentez-le qui détend le cou, les épaules, les bras, les mains, le dos, le bassin, le ventre, les jambes et les pieds.

Si une pensée s'impose à votre esprit, autorisez-la à être, mais ne la suivez pas ; revenez à la sensation du sourire sur vos lèvres ou à l'étincelle dans vos yeux.

Demeurez en lien avec ce sourire bienveillant, jusqu'à ce que vous sentiez qu'il est gravé au plus profond de vous-même.

À présent, vérifiez par vous-même si cette action change votre expérience de l'instant présent.

Vous sentez-vous plus détendu ? Plus réceptif ? Plus en lien avec vous-même ?

Que ce soit en méditant ou à n'importe quel moment, quand on est capable de s'offrir le cadeau symbolique d'un sourire sincère, on est en lien d'amitié avec soi-même. Ce geste d'acceptation de soi se ressent de manière douce et profonde à un autre niveau de notre être, celui de notre conscience et de notre âme.

Ce que vous allez découvrir

Cueillir les fruits

Pour méditer, vous n'avez pas besoin de faire
ni d'attendre quoi que ce soit.

Accueillez chaque pensée, chaque souffle,
chaque instant.

Accordez à toute chose son droit d'être,
ici et maintenant.

Reconnaissez à chaque son, à chaque bruit,
à chaque silence, sa raison d'être.

Allez-y, autorisez-vous à pleinement être qui vous êtes,
tel que vous êtes.

Ressentez maintenant le souffle et la multitude
de sensations qui sont là, en vous.

Permettez à tout ce qui est d'être là.
Pleinement. Totalement.

C'est en vous exerçant ainsi, un peu chaque jour, à cueillir les
fruits du moment présent que votre vie sera plus douce.

Silence, là-dedans !

La méditation est un art qui demande de la détermination et du cran. Il faut du courage pour méditer lorsque l'esprit vacille, qu'il rumine ou encore qu'il angoisse. Peut-être avez-vous déjà réalisé qu'il est difficile de maîtriser l'esprit et de maintenir votre attention sur un ancrage. Généralement, l'esprit préfère s'absenter pour aller se promener dans le passé ou dans le futur, ses deux endroits préférés.

En plus de ce déficit d'attention arrivent les pensées, les sensations, les émotions, et une toute petite voix. À peine perceptible dans notre vie de tous les jours, elle semble nous apparaître comme par magie en méditation. De plus, parfois, elle hausse le ton quand on médite. Il arrive même qu'elle se mette à commenter notre manière de méditer : « Tu ne sais pas comment t'y prendre » ; « Ce n'est pas tout à fait cela » ; « Les autres le font mieux que toi » ; « Tu devrais changer de technique, de lieu, de professeur » ; « Tu perds ton temps ».

Au quotidien, vous et moi accordons peu d'attention au discours de cette voix intérieure, car nous sommes trop souvent submergés par nos pensées. Mais, comme la méditation nous rend plus éveillés, nous prenons conscience que cette voix est à l'œuvre. Qu'elle nous dicte quoi penser. Quoi dire. Quoi ressentir. Quoi faire ou ne pas faire. Quoi aimer ou ne pas aimer. Tantôt, elle nous donne des ordres. Tantôt, elle nous complimente. Et la seconde suivante elle change de ton et se met à nous critiquer et à nous comparer aux autres, sans raison.

Que faire de cette voix ? Vous pourriez tenter de la repousser, de la rejeter, de l'ignorer ou de la supprimer par la volonté, mais ce serait une lutte sans merci avec vous-même, et l'état qui en résulterait serait loin de celui que procure la méditation. La méditation n'est pas une baguette magique pour faire le vide dans votre esprit. Plutôt décevant, n'est-ce pas ? Mais, heureusement, la pratique nous aide à cultiver quelque chose d'essentiel : la capacité de faire la distinction entre ce que nous pouvons ou non contrôler, et la sérénité qui en découle.

En règle générale, on ne se rend pas toujours compte que notre esprit évalue, catégorise et classifie les choses, les événements, nos expériences, mais aussi les gens qui nous entourent. Que ce soit sous forme de pensées, d'images, de sensations, d'émotions, on ne voit pas que notre esprit formule continuellement des opinions et des verdicts sur les petites comme sur les grandes choses de la vie.

Alors qu'on vient à la méditation dans l'espoir de trouver un peu de paix intérieure, il arrive qu'on se cogne contre un mur de pensées et de jugements. Alors qu'on croyait trouver le silence et le calme, on se retrouve face à un véritable tourbillon intérieur. Lorsque cela se produit, certaines personnes croient à tort qu'elles s'y prennent mal ou qu'elles ne sont pas faites pour méditer. Pourtant, c'est tout le contraire : c'est un bon point de constater qu'il y a tout ce vacarme en soi.

Donc, en méditant, vous allez prendre conscience non seulement de ce tumulte intérieur, mais aussi d'une chose étonnante : l'attention bienveillante possède le pouvoir d'agir sur cette petite voix qui habite dans votre tête.

La méditation agit sur cette voix en vous permettant d'abord de la découvrir, d'accepter son incessant bavardage, puis d'entamer une réforme intérieure pour vous en détacher progressivement. Elle ne vise pas à supprimer ni à réprimer cette voix, mais à la laisser surgir, puis s'évanouir dans l'immensité de votre conscience.

En méditant régulièrement, vous découvrirez qu'entre les moments où la voix parle ou que surgissent des pensées, il y a un espace, un silence, un coin de ciel bleu qui s'ouvre dans votre esprit. Plus vous méditerez, plus cet espace deviendra vaste. Et, tels des nuages qui voyagent dans le ciel, vous réaliserez que cette voix, vos émotions et vos pensées n'ont aucune substance réelle. Elles finissent toutes, tôt ou tard, par disparaître.

Accueillir, ressentir, laisser partir

Pour amorcer un processus de transformation intérieure, on doit rompre avec ses exigences et ses ambitions. On doit mettre de côté toutes les notions de dépassement de soi, de performance, de comparaison ou de compétition. En méditation, l'avidité, le désir de réussir ou la crainte de l'échec ne tiennent pas la route très longtemps. En ce sens, il n'y a rien à en attendre, rien à réussir, rien à obtenir.

Le « travail » du méditant consiste simplement et humblement à s'exercer patiemment à être. Cela sous-entend que vous honorez pleinement ce qui se passe en vous et que vous accueillez sans réserve tout ce qui se passe autour de vous. Au lieu d'être soucieux de nos résultats et de nos progrès, nous apprenons par l'exercice méditatif à rester humbles, patients et constants.

En méditant, nous ne mettons pas notre vie en suspens. Nous la regardons en face. Nous lui donnons priorité. Habituellement, nous agissons et nous nous agitons pour contrôler nos expériences. Par la méditation, nous laissons venir tranquillement les choses. Nous cédons le passage à la vie.

Méditer consiste donc à accepter la réalité du moment, telle qu'elle est. Autrement dit, nous acceptons de ressentir la totalité de notre expérience de ce moment, qu'il soit agréable, banal ou désagréable. Cela signifie qu'on consent à laisser tomber toute résistance, toute tentative de contrôle, toute attente, toute préférence.

Nous ne sommes pas toujours conscients de ce réflexe de vouloir agir sur les choses, de les repenser, de les modifier. C'est là un véritable défi. Pour bon nombre d'entre nous, lorsque arrive le temps de se poser et de ne rien faire, ce « non-agir » s'avère inconfortable et déstabilisant. Mais le contrôle et la résistance doivent être abandonnés dans la pratique méditative.

À chaque instant, en méditant, on s'exerce à demeurer le témoin des pensées, des émotions, des courants d'énergie, des bruits, des sons, des démangeaisons, des crispations, de l'inconfort physique, de l'ennui, de la lassitude. Être là, en cultivant un regard bienveillant sur ce qui est, sans avoir recours à aucune distraction, à aucun secours extérieur, sans agir et sans réagir, peut se révéler particulièrement confrontant. C'est pourquoi je donne ces trois instructions à mes étudiants : accueillir, ressentir, laisser partir.

Par exemple, si vous êtes en train de méditer et qu'une pensée vous ramène le souvenir d'une personne qui vous irrite, ne cherchez pas à la faire disparaître. La première étape est de laisser venir à vous ce visage, les détails de la situation qui accompagnent cette pensée. Accueillez tout cela dans le vaste espace de votre conscience. Permettez à ce souvenir de se mouvoir librement. Observez-le en respirant doucement. Cela correspond à l'accueillir.

La deuxième étape consiste à ressentir l'émotion qui accompagne cette pensée. Que ce soit la frustration, l'irritation, la colère, l'envie, ou tout autre sentiment, permettez à ces énergies émotionnelles de circuler librement dans votre corps. Ici, il est important de ne pas nourrir l'émotion avec des histoires et des scénarios, mais de demeurer présent. Une émotion, sans histoire, est une expérience vivante. Qu'elle soit inconfortable ou non, on s'exerce à la laisser être. Si vous avez du mal à rester calme intérieurement, posez votre attention sur le mouvement de votre souffle : cela aura pour effet de diminuer la charge émotionnelle et vous aurez ainsi moins de difficulté à la supporter, à la ressentir.

Troisièmement, toujours selon l'exemple de cette personne qui vous irrite, il s'agit de laisser partir vos jugements, vos attentes envers cette personne et vos critiques. En méditation, on assume la pleine responsabilité de ses émotions. Considérées ainsi, en toute connaissance de cause, l'irritation ou l'animosité ne sont ni amplifiées ni censurées. Elles sont pleinement assumées. Cette acceptation, qui exige d'être authentique et de faire face à la réalité, sans faux-fuyants, vous permet de vous sentir pleinement libre.

Si, au cours de cette étape de la pratique, vous ressentez des difficultés à laisser aller vos pensées ou vos émotions, essayez d'être conscient de votre résistance. Et, sans vous juger, servez-vous de vos expirations pour signaler à l'esprit qu'il est temps de lâcher prise. Sentez que l'air qui sort de vos poumons et de vos narines vous libère peu à peu. Et c'est ainsi qu'au fil de vos expirations, vous verrez la résistance se transformer tranquillement en de douces sensations pour ensuite se fondre complètement dans le vaste champ de votre conscience.

Rappelez-vous : dès que vous vous sentez pris au piège, que ce soit en raison d'une pensée qui vous angoisse, d'une intense émotion ou d'une douleur quelconque, servez-vous de ces trois instructions : accueillir, ressentir, laisser partir. Ce sont les outils les plus sûrs pour vous ramener au cœur de la pleine présence.

L'attention bienveillante

Méditer n'est pas une discipline rigide qui nous emprisonne dans des diktats et des carcans. Si vous vous tordez le cou pour vous asseoir dans la pratique, parce que vous croyez que c'est la chose à faire pour vous rendre plus spirituel, l'ego va s'emparer de l'exercice et en faire une sorte de « performance » où vous serez constamment évalué et jugé selon vos « avancées » ou vos « échecs ».

Certes, il faut faire un peu d'effort pour se rendre à la pratique, mais une fois en méditation, il faut se libérer de toute cette pression pour faire l'expérience d'une autre manière d'être : la pleine présence. Dans cet état méditatif, rien n'est rejeté. Rien n'est ignoré. Tout est observé. Tout est honoré. La pleine présence, c'est la source même de la bienveillance.

J'utilise souvent le mot « bienveillance » dans mes séances. Certains, si intransigeants envers eux-mêmes, contribuent grandement, d'une certaine manière, à leur souffrance intérieure. Certes, chacun souhaite s'améliorer, évoluer et devenir « meilleur », mais ce n'est pas en se tapant constamment sur la tête qu'on y parvient.

En tournant une attention bienveillante vers soi, on devient conscient de ses peurs, de ses peines, de ses luttes intérieures et de ses fardeaux. Pour chacun, le quotidien est différent, mais nos expériences humaines sont sensiblement les mêmes. Nous vivons, tour à tour, des chagrins, des moments d'insécurité, des remises en question, des angoisses, des colères et des peurs. Parfois, nous avons causé du tort aux autres, parfois les autres nous ont blessés, mais maintes fois, nous nous sommes fait mal nous-mêmes. En prendre conscience permet de se libérer de l'autopunition et des jugements tranchants envers soi-même.

Grâce à la méditation de pleine présence, vous apprendrez à mieux vous connaître. Vous arriverez à découvrir vos joies et vos peines, vos espoirs et vos angoisses et ce qui vous incite à fuir le moment présent. Qu'est-ce qui vous déconnecte de la réalité ? Progressivement, vous arriverez à discerner les pensées et les conditionnements qui sont à l'origine de votre dispersion, de vos tourments, et de bon nombre de vos peurs. Avec le temps et la pratique, vous serez de moins en moins enclin à la réactivité et à l'impulsivité. Vous vous sentirez plus calme et plus confiant. Vous serez aussi mieux dans votre peau. Ainsi, il vous sera plus facile de vivre de manière authentique et d'être qui vous êtes dans toutes vos activités personnelles et professionnelles.

Cela dit, méditer ne fera pas de vous un ange ni un saint. En tout cas, pas du jour au lendemain. Vous continuerez, tout comme moi et des milliers de méditants, à vivre des moments d'impatience, de frustration. Vous connaîtrez encore des périodes de doute et de confusion, des angoisses et des peurs. Mais ces épisodes seront moins fréquents et vous aurez maintenant en main un fabuleux outil pour y faire face : celui de votre attention ouverte, réceptive et bienveillante.

Puis, un jour, contre toute attente, cette présence bienveillante fera partie de votre vie, au quotidien. Vous serez capable d'être bon et juste envers vous-même comme envers les autres. Lorsqu'on y parvient, on sait que, désormais, on peut compter sur soi-même pour s'accompagner à travers les étapes de l'existence. C'est là un des très beaux cadeaux que nous fait la méditation de pleine présence.

Tel que vous êtes

On ne médite pas pour devenir meilleur, mais pour faire la connaissance de qui l'on est dans la profondeur de l'être. Et l'on peut maintenant faire ce premier pas vers une réelle acceptation de qui l'on est. Ici et maintenant. En ce moment même.

Malheureusement, encore trop de gens attendent d'être plus ceci ou moins cela avant de commencer à méditer. Certains hésitent, croyant que la méditation s'adresse uniquement à des gens qui sont naturellement contemplatifs, ou à quelques initiés. D'autres se disent trop anxieux de nature ou se croient trop dispersés pour méditer. D'autres encore arrivent à la méditation, mais dans l'espoir de faire disparaître leurs défauts ou leur « mauvais » caractère.

N'attendez plus et surtout ne commencez pas à méditer pour vous « réparer », car du point de vue méditatif, vous n'êtes pas défectueux ni imparfait. Vous êtes parfait tel que vous êtes. Que vous vous sentiez physiquement bien ou non, que vous soyez calme ou anxieux, que vous aimiez ou non ce qui se passe dans votre environnement, ne catégorisez aucune expérience comme étant bonne ou mauvaise, agréable ou désagréable.

En réalité, l'expérience méditative consiste simplement à se rencontrer et à s'accepter tel qu'on est. N'apposez aucune étiquette sur vos pensées, vos sensations ou vos émotions. Avec bienveillance, accueillez et ressentez ce qui se présente. Acceptez ce qui se produit ou ne se produit pas.

Pour beaucoup, c'est un réel défi de ne pas chercher à se transformer, à s'améliorer, à exceller; et c'est difficile de s'ouvrir à soi-même, de se rencontrer dans l'ouverture de la pleine présence. Pour y parvenir, il faut laisser aller les idées préconçues, les jugements, les étiquettes que l'on met constamment sur soi-même et sur ses expériences.

Dès l'instant où vous sentez que vous êtes en train de vous juger ou de vous critiquer, revenez à votre respiration. C'est le meilleur moyen pour sortir de votre mental et reconquérir votre dignité. Peu à peu, à travers la méditation, vous apprendrez à ne plus vous identifier à tous ces phénomènes physiques et mentaux qui vont et viennent constamment. Avec le temps et la pratique, vous découvrirez que vous n'êtes pas qui vous croyiez être. Vous n'êtes pas vos pensées, votre corps, votre âge, votre apparence, votre état de santé, vos émotions, vos pulsions, vos réactions, vos obsessions, vos angoisses.

Bien que cela puisse vous sembler paradoxal, c'est en accueillant tout ce qui est, et en ne vous identifiant à rien de tout cela, que la transformation s'opère. Comment est-ce possible?

Les pensées, les sensations et les émotions se produisent à l'intérieur de vous. Mais il existe une part de vous-même qui peut observer tous ces phénomènes sans en être affectée. Rien de ce qui apparaît et disparaît n'est vous. Vos soucis, vos contrariétés, vos joies et vos peines, vos succès et vos échecs vont et viennent. En méditation, vous constaterez l'impermanence de toute chose; vous découvrirez, au fond de vous-même, une dimension vaste et lumineuse qui n'est jamais altérée par tous ces phénomènes transitoires.

Au cœur de l'esprit de chaque être humain se trouve un immense espace de calme, de paix, de bonté et de sérénité. Pour accéder à cette nature paisible de la pure conscience, on doit faire preuve d'une présence vigilante et bienveillante envers soi-même, les autres et le monde qui nous entoure.

RESTER ZEN MALGRÉ LA TOURMENTE

Quand nous avons vécu une journée particulièrement
agitée ou que nous faisons l'expérience d'émotions fortes,
il est particulièrement utile de nous détendre à l'aide de
l'exercice respiratoire suivant. Il permet d'oxygéner
l'organisme, de libérer le corps des tensions physiques
et de pacifier l'esprit.

Assis, le dos droit, reliez-vous à votre respiration.

Observez-la, ressentez-la sans rien changer à ce qui est.

À présent, inspirez par le nez en comptant mentalement
jusqu'à 3.

Expirez en comptant jusqu'à 6.

Répétez cet exercice 5 fois.

Ensuite, parcourez votre corps mentalement pour vous assurer
que chacune de ses parties est détendue. Synchronisez ce
mouvement de l'attention avec la respiration. Imaginez que chaque
partie visitée se détend tout naturellement.

Prenez conscience de vos orteils, de vos pieds, de vos chevilles,
de vos jambes. Déplacez votre attention vers le bassin, les
hanches, l'abdomen, le torse, la colonne vertébrale, le dos,
les épaules. Prêtez attention au cou, à la nuque, à la mâchoire,
aux joues, aux oreilles, aux yeux et au front. Balayez chaque partie
de votre corps avec une attention douce et bienveillante.

Cette technique exige peu de temps et s'avère fort efficace pour relancer l'énergie stagnante dans le corps, pour l'ouvrir et le détendre. En visitant ainsi chaque partie de votre corps, des orteils à la tête, ce «non-agir» en mouvement apporte un état de calme et de quiétude intérieurs.

Cet exercice vous aidera grandement à vous apaiser mentalement. Le moment est maintenant venu d'inviter votre esprit à se joindre à votre corps et à votre souffle.

Vous êtes donc assis là à ressentir votre souffle. Comme un voilier qui monte et descend au gré des vagues, votre corps s'ouvre et se détend avec la respiration, et l'esprit se laisse bercer tout doucement par ce mouvement.

Méditer, c'est reconnaître l'arrivée de toute vague, de tout état d'esprit, de tout sentiment fort, tout en restant toujours centré intérieurement.

Permettez-vous simplement d'être là, sans rien faire de plus.

Demeurez en lien avec vous-même et avec ce moment, tout doucement.

Tel un témoin bienveillant et silencieux, soyez là pleinement.

Voilà ce que c'est que de rester zen malgré la tourmente.

Se réconcilier avec soi

Des sceptiques diront que méditer n'est pas la réponse à tout. Certes, non. Dans la vie, il faut aussi réfléchir et agir avec sagesse et discernement si l'on souhaite trouver le bonheur et la paix intérieure. Mais rien de tout cela n'arrivera sans une véritable connaissance de soi.

La méditation est un chemin qui mène à la connaissance de qui nous sommes. Tout comme nous apprenons à connaître un ami en prenant le temps d'aller à sa rencontre, en lui accordant notre pleine attention, en l'écoutant le cœur ouvert et en étant présents, dans les bons comme dans les moins bons moments, méditer c'est s'offrir à soi-même la même expérience.

Je ne vous cacherai pas que, comparativement à l'acte de s'asseoir avec un ami, rester présent à soi-même est un plus grand défi. Cela demande un sacré courage de s'asseoir avec soi-même, chaque jour, peu importe que cela nous plaise ou non, peu importe la liste de choses à faire, peu importe les circonstances, peu importe le temps qu'il fait dans sa vie. C'est un acte noble et louable que celui d'être en présence de soi.

Quand, au lieu de fuir une expérience inconfortable ou un sentiment douloureux, on choisit de ne pas s'abandonner, ce n'est pas un geste banal. C'est ainsi que nous découvrons que notre cœur arrive à nous faire comprendre certaines de nos paroles ou certains de nos gestes que nous jugions impardonnables. Quand le cœur s'ouvre ainsi, sans condition, toute résistance se met à fondre.

Nos blâmes, nos critiques et nos jugements contre nous-mêmes cèdent la place, peu à peu, à de l'indulgence et à de la compassion. Progressivement, on perd l'envie de se faire souffrir davantage en nourrissant de la colère, de l'agressivité et de l'intolérance envers soi.

En s'exerçant ainsi à demeurer présent à soi-même, même quand on est de mauvaise humeur, angoissé ou apeuré, sans se condamner, on découvre l'immense pouvoir de la bienveillance.

Le professeur de méditation Jack Kornfield a dit un jour : «Souvenez-vous que vous portez en vous tous les remèdes et toutes les guérisons dont vous avez besoin.»

Quand nous dirigeons un regard bienveillant vers l'intérieur, tel le faisceau d'une lampe de poche, il met en lumière les illusions qui nous empêchent de découvrir notre identité profonde. L'acceptation de soi, quant à elle, est la clé qui ouvre la porte de la guérison intérieure.

Ne faites pas l'erreur

Ne faites pas l'erreur de croire que vous « êtes »
ce que vous vivez.

N'allez pas croire que l'état d'esprit dont
vous faites l'expérience est fixé à jamais.

La vie est constamment en mouvement.

Les circonstances extérieures ne sont que de passage
dans votre existence.

Elles vont et viennent. Apparaissent et disparaissent.

Restez centré sur votre propre cœur.

Demeurez en lien avec ce qui demeure.

Et vous parviendrez à comprendre que tout passe,
sauf une chose.

Votre essence profonde.

Vivre le meilleur maintenant

Jour après jour

La pratique de la pleine présence n'est jamais acquise. Elle exige, encore et toujours, un engagement profond de tout notre être. Cet art de vivre vous mènera éventuellement à la connaissance suprême de vous-même, mais cela ne peut se faire en quelques séances méditatives. Cela demande du temps, beaucoup de temps pour arriver à se connaître, à se comprendre, et pour devenir soi. Et durant ce long apprentissage, nous vivrons tous des périodes de lassitude et parfois même de découragement.

C'est la raison pour laquelle vous devez cultiver la pleine présence au cœur de toutes vos activités. En plaçant cette façon d'être au centre de votre existence, vous demeurerez en contact avec les bienfaits de votre pratique méditative tout au long de votre journée.

En tant qu'enseignante en méditation, je sais que le plus grand des mythes est cette idée fausse selon laquelle l'art d'être en pleine présence se réduit au temps où l'on est assis sur un coussin, c'est-à-dire quelques minutes par jour. Mais à quoi cela servirait-il de trouver refuge dans une pratique qui ne durerait que si peu de temps ? Que se passerait-il le reste de la journée ?

Si un jour vous arriviez à méditer une heure complète, ce serait merveilleux, mais il vous resterait vingt-trois heures à vivre dans votre journée. Qu'en feriez-vous ? À quoi servirait-il d'enfiler méditation après méditation, retraite après retraite, si l'esprit demeurait agité tout le reste de l'année ?

Quand je parle de méditer, je ne parle pas strictement de s'exercer à s'asseoir sur un coussin, les jambes croisées, mais de faire résonner la pratique méditative en tout lieu, en tout temps et en toutes circonstances.

Cela ne veut pas dire que vous n'avez pas à vous exercer à la méditation de manière « formelle » au quotidien. Cela signifie plutôt que votre pratique d'attention bienveillante ne doit pas être limitée à votre temps de méditation, mais que vous devez l'apporter dans votre monde.

C'est dans cette perspective que j'ai commencé la pratique de la méditation, il y a plus d'un quart de siècle. J'avais besoin de l'énergie tendre et salutaire de la pleine présence au cœur de ma vie, et pas seulement quand je méditais. Au départ, je m'imaginais naïvement que ce serait même plus simple d'entraîner mon esprit à demeurer attentif durant mes activités journalières que sur mon banc de méditation. J'imaginais que j'y arriverais sans trop d'effort. Comme cela avait l'air facile, dans ma tête !

J'allais bientôt découvrir que mon esprit n'aimait pas être établi au présent, dans l'ici et le maintenant. Rapidement, je perdais le contrôle, intérieurement et extérieurement. Sans même crier gare, mon attention s'évadait avec une pensée, une sensation, un bruit, une angoisse. Après un très long moment, je me rendais compte que j'étais absente mentalement de ce que je faisais. J'étais de retour en mode pilotage automatique, et tout était à recommencer.

Lorsque nous décidons de vivre en pleine présence, nous devons réaliser que l'esprit humain est un horizon infiniment plus vaste et complexe que nous le croyons. En ce sens, il ne faut pas se sentir dépassé par les innombrables échappées de l'esprit. En méditation, c'est plus simple, car nous n'accomplissons aucune action. Mais dans la vie de tous les jours, nous vivons dans un état presque permanent de stress et d'agitation. Voilà pourquoi je vous propose de travailler de concert avec votre esprit grâce à de petits gestes au quotidien.

Voici des exemples d'exercices que vous pouvez faire tout en vaquant à vos occupations. Nombre d'entre eux sont d'une simplicité étonnante et peuvent facilement s'adapter au temps dont vous disposez.

~ Au réveil, avant même d'ouvrir les yeux, prenez trois longues et profondes respirations par le nez. Respirez lentement. Prenez le temps de ressentir chaque souffle.

~ Avant de sauter du lit, étirez votre corps, de la tête aux pieds. Ressentez la délicieuse sensation qu'un simple exercice d'étirement peut vous offrir.

~ En faisant votre toilette matinale, prenez le temps d'être présent. Sous la douche, ressentez la sensation de la céramique sous vos pieds, la température de l'eau sur votre peau, la texture du savon qui mousse entre vos doigts.

~ Pendant que vous vous brossez les dents, prêtez attention à la solidité du sol sous vos pieds, au bruit de l'eau, au goût de la pâte dentifrice, à la sensation de la brosse contre vos dents.

~ Pendant que vous coiffez vos cheveux, sentez la texture de la brosse, son poids, sa forme ; notez la sensation du va-et-vient du peigne ou de la brosse sur votre cuir chevelu.

~ Avant de prendre le petit déjeuner, consacrez de cinq à dix minutes à la méditation. C'est une merveilleuse façon de commencer une journée.

~ Au moment de manger des céréales, de boire un thé ou un café, de lire le journal ou de discuter avec vos proches, exercez-vous à demeurer pleinement attentif et à ne faire qu'une chose à la fois.

~ À l'heure du lunch, accordez-vous quelques minutes pour vous reconnecter avec la plénitude de l'instant présent. Qu'il s'agisse de lever les yeux au ciel pour regarder défiler les nuages, de s'asseoir sur un banc de parc pour contempler la nature, d'écouter une musique ou le chant des oiseaux, de savourer votre repas, de déguster un thé ou de parler avec quelqu'un, rappelez-vous d'être là, corps, cœur et esprit. À cet endroit. À ce moment précis.

~ L'après-midi, obligez-vous à vous interrompre à quelques reprises pour faire de courtes pauses. Cessez, pour un instant, si bref soit-il, tout ce que vous faites. Fermez les yeux, si possible, pour une minute ou deux, et ressentez chacun de vos souffles. Au fil de votre journée, vous réaliserez que ces micro-pauses participent grandement à votre mieux-être physique et mental.

~ À n'importe quel autre moment, dès que vous constatez que votre esprit est agité, qu'il n'est plus dans le moment présent, qu'il a tendance à ruminer le passé ou à s'inquiéter de l'avenir, arrêtez-vous. Respirez. Puis questionnez votre esprit sur ce qui se passe ici et maintenant : Que se passe-t-il en ce moment même ? Où suis-je physiquement ? Où suis-je mentalement ? Quelle est la nature de mes pensées ? Qu'est-ce que je ressens intérieurement ? Ces questions peuvent sembler banales, mais elles sont si puissantes qu'elles peuvent ramener notre attention au présent.

~ Le soir venu, si vous êtes seul, concentrez-vous sur chacun de vos gestes. Mettez de côté vos tracas de la journée et la liste de choses à faire. Plutôt que d'ouvrir la télé ou de vous jeter sur l'ordinateur, prenez ce temps pour faire un retour en vous-même. Concentrez-vous sur la vague naturelle de votre souffle et soyez pleinement dans l'instant présent. Si vous êtes en famille, en particulier en compagnie de jeunes enfants, offrez-leur toute votre attention. Prenez conscience que le moment présent est précieux.

~ Avant de terminer votre journée, réservez-vous un peu de temps pour créer de l'espace en vous-même. Assis tranquillement, reprenez contact avec votre monde intérieur. En demeurant concentré sur la vague naturelle de votre souffle, exprimez votre gratitude pour chaque moment agréable vécu et faites la paix intérieurement avec ce qui vous a déstabilisé durant votre journée. En peu de temps, vous arriverez à créer un sentiment de paix et de contentement qui vous mènera vers un sommeil profond et réparateur.

Cultiver la patience

Nous vivons dans une société qui mise si fortement sur la rapidité et l'efficacité que même nos chemins de transformation intérieure peuvent être influencés par cette avidité. Nous sommes en méditation et nous brûlons d'envie d'ouvrir les yeux pour consulter l'horloge. Nous sommes si impatients d'arriver au « but » que nous voulons sauter des étapes pour obtenir des résultats immédiats.

La pratique méditative ne propose pas de raccourcis. Tout ce qu'elle a à vous offrir, c'est ce moment. Quelles que soient les circonstances, elle vous invite à revenir à la richesse et à la fraîcheur de cet instant même. Et pour vous aider à y accéder, elle vous enseignera une chose essentielle. Vous devinez laquelle ? La patience.

Éloge de la patience

La personne qui attend ne vit pas dans l'instant présent.

Elle s'oblige à attendre le prochain moment.
Dans l'attente, elle suspend son souffle, elle suspend sa vie.
Cette patience forcée est imposée par le mental.

Le mental ne veut pas du présent ;
il espère toujours un autre moment.
La véritable patience n'est pas de savoir attendre.

La véritable patience est faite d'humilité et de persévérance,
de résilience et d'abandon, de foi et de discernement.

Face aux revers de la vie, la patience
est la plus haute forme de courage qui soit.

Être patient n'est pas une force mentale, mais un état d'être.
Celui d'être là, au cœur de cet instant,
tout en étant ouvert et disponible pour l'instant suivant.

Lorsqu'on y arrive, il n'y a plus d'attente.
Le temps ne compte pas, il ne compte plus.

Au moment présent, une seconde et l'infini ne font plus qu'un.

En paix avec ce qui est

Bien que le quotidien de chacun soit différent, nos expériences humaines sont sensiblement les mêmes. L'anxiété, la colère, la peur, le chagrin, tout cela fait partie de notre processus d'évolution. Même si nous méditons chaque jour, la vie ne cessera pas de mettre sur notre chemin de nouvelles leçons, de nouvelles difficultés et de nouvelles possibilités pour faire jaillir le meilleur de nous-mêmes.

À ce sujet, un grand maître hindouiste avait coutume de dire ceci à ses étudiants : « Vous vous plaignez que vous vivez des expériences qui sont souffrantes, mais en vérité, c'est vous qui souffrez vos expériences. » Comprendre la richesse de cette leçon, c'est comprendre que les moments difficiles de notre existence ne sont pas liés uniquement aux circonstances extérieures. Au contraire. Très souvent, c'est notre propre état d'esprit qui est la cause principale de nos difficultés.

Autrement dit, au lieu de tenter de tout mettre en œuvre pour changer l'inévitable, il est infiniment plus simple de se changer soi-même. Et pour se changer soi-même, on doit commencer par changer son esprit.

Cet enseignement, je l'ai mieux compris le jour où j'ai loué une maison de campagne pour refaire mes forces. Cette demeure ancestrale comptait cinq pièces : une cuisine, un salon, un grand boudoir, une salle de bains et une chambre à l'étage. Cette pièce était la raison même pour laquelle j'avais eu un coup de cœur pour cette vieille maison, car elle était magnifiquement éclairée par une grande fenêtre aux larges persiennes, qui donnait sur une clairière, dans la forêt.

J'étais donc persuadée que cet espace sacré allait m'aider à reprendre mes heures de sommeil perdues. J'envisageais déjà mon retour à la ville, forte de ce ressourcement et de cet été consacré au repos. Mais cela ne s'est pas tout à fait passé ainsi.

Le premier matin, dès l'aube, j'ai été réveillée par un filet de lumière qui filtrait dans la chambre et qui tombait directement sur mon visage. Puisque j'avais visité la maison durant le jour avant de la louer, je n'avais pas remarqué que les persiennes de la chambre ne se fermaient pas correctement.

En soi, c'est un détail assez banal, mais à l'époque, je vivais déjà avec un sommeil fragilisé par l'hépatite C, et les nuits blanches commençaient à mettre ma santé mentale en péril. Alors, j'ai angoissé à l'idée de passer l'été sans dormir. Rapidement, mon mental s'est mis en mode survie. Il me fallait absolument trouver une solution.

Le lendemain matin, dès que la lueur est apparue, j'ai relevé les draps par-dessus ma tête, mais je me suis vite sentie étouffée. Le surlendemain, j'ai acheté un masque de sommeil pour me couvrir les yeux, mais j'étais incapable de le supporter. J'ai ensuite modifié l'orientation du lit, mais cela n'a rien changé. Finalement, j'ai engagé un menuisier pour réajuster les persiennes. Mais la maison était si avancée en âge que le temps avait fait son œuvre sur les murs, et après le départ de l'ouvrier, la lumière avait déjà trouvé une autre fissure par laquelle s'infiltrer.

Les solutions s'évanouissaient les unes après les autres. En somme, j'avais loué cette demeure pour quatre mois, de juin à septembre, et sur le bail il était clairement indiqué que je la prenais telle quelle, donc impossible de me faire rembourser. De toute manière, il était trop tard dans la saison pour dénicher une autre maison pour l'été. Cela me paraissait impensable d'envisager toutes ces semaines sans dormir. Plus je réfléchissais à ce problème, plus il prenait de l'ampleur dans ma tête. J'étais épuisée non seulement par le manque de sommeil, mais aussi par les heures gaspillées à rager contre cette situation.

J'étais au bord du désespoir, lorsque, un beau matin, j'ai compris que les chances que cette situation change miraculeusement d'elle-même étaient nulles. En vérité, elle n'avait pas à changer. C'était à moi de le faire. C'était à moi de changer la perception de mon esprit face à cette situation.

Le lendemain matin, dès que la lumière de l'aube a filtré dans la pièce, j'ai ouvert les yeux et je suis restée là, immobile, à concentrer mon attention sur ma respiration. Durant un long moment, je me suis consacrée à accueillir mon souffle. De ce fait, j'accueillais également une réalité que j'avais mis des jours à repousser. Par la respiration, j'ai réussi à calmer mon esprit pendant que mon corps fatigué, lui, demeurait allongé paisiblement sur le lit.

Je dirigeais maintenant toute mon attention vers cette expérience au lieu de vouloir la fuir. J'observais ce rayon lumineux sans l'associer à mon manque de sommeil, à mes douleurs, à ma frustration. Je ne ressentais plus le besoin que cette expérience disparaisse ou qu'elle devienne plus agréable. J'étais là, simplement là, dans le silence, dans le calme absolu de cet instant. Maintenant, c'était clair : ce n'était pas cette lueur qui était dérangeante, mais plutôt « moi » qui étais dérangée par cette lumière.

Ce « moi » qui ne supportait pas ce qui se passait dans le moment présent était responsable de mon inconfort, et non cette lumière. Ce que je repoussais chaque matin à mon réveil, ce n'était pas la lueur du jour, mais plutôt ma réaction à cette lumière. Je pouvais donc agir sur la situation en modifiant ma façon de réagir. En comprenant cela, intérieurement, toute lutte a cessé.

Je n'avais plus besoin que le moment présent réponde à toutes mes attentes pour faire l'expérience de la paix intérieure. Les choses pouvaient être ce qu'elles étaient, mais au fond de moi je pouvais moi-même choisir mon état d'être. Tout cela n'effaçait en rien mes douleurs ni mon manque de sommeil, mais je n'ajoutais aucune souffrance ni aucune difficulté supplémentaire à mon expérience. Au contraire. J'adoucissais ma vie.

Dans la vie, on a beau tout faire pour que quelque chose arrive ou n'arrive pas, il y aura toujours des situations qui échapperont à notre volonté et à notre contrôle. Le cas échéant, notre pratique méditative nous enseigne à «être» dans la pleine acceptation des choses. On s'exerce aussi à accueillir ce que l'on ressent face à la situation : le chagrin, la confusion, le désir de fuir, la peur, la solitude, la colère, l'anxiété.

Quand, au lieu de résister à notre expérience, nous nous ouvrons au moment présent, que nous acceptons de ressentir nos émotions, sans nous laisser envahir par elles, nous découvrons que nous sommes capables de faire face à toutes nos expériences avec un cœur noble et un esprit ouvert. Et, quoi qu'il advienne, l'essentiel est de ne jamais l'oublier.

Un pacte avec soi

Dans notre vie, tout va tellement vite que nous avons souvent tendance à réprimer nos pensées ou à ignorer nos émotions. Une partie de nos difficultés vient précisément de cette déconnexion d'avec nous-mêmes.

Mais en méditant, on apprend à prêter attention à ce qui se passe dans son for intérieur. C'est ainsi qu'on réalise que ses pensées et ses émotions en tant que telles ne sont pas le problème. Très souvent, des problèmes émergent du fait qu'on ignore ce qu'on ressent à l'égard de telle ou telle situation.

Par exemple, vous pourriez être assis tranquillement en méditation, à observer attentivement votre souffle, puis soudain, une sensation intense pourrait surgir de nulle part pour «interrompre» votre concentration.

Quand nous pratiquons la pleine présence, nous ne repoussons aucune pensée, aucune sensation, aucune perception. Ces phénomènes sont constamment en mouvement et en changement. Si nous essayons de lutter, de refouler ou d'ignorer nos expériences, elles nous poursuivront jusque dans notre quotidien.

Il peut arriver qu'en méditation, une émotion intense émerge. Apprendre à méditer avec un sentiment de désespoir, de colère ou de tristesse n'est pas chose facile, mais l'exercice méditatif nous enseigne à reconnaître l'impermanence de toute chose. La méditation nous invite à nous asseoir avec un esprit colérique, un cœur brisé, un corps qui souffre, sans nous abandonner. Nous apprenons ainsi à voir défiler nos pensées, à voir surgir des émotions et des sensations, à en prendre conscience, sans être affligés par elles.

Par exemple, si vous êtes assis en méditation et qu'une émotion forte comme la colère, la jalousie ou une immense tristesse surgit de nulle part, ne la repoussez pas. Laissez-la émerger en vous-même. Observez-la. Et au lieu de la nourrir ou de l'alimenter avec des reproches, des blâmes, des histoires et des scénarios, soyez disposé à vous ouvrir à ce ressenti. Tout comme un parent aimant berce un enfant qui a peur ou qui a mal, déposez ce sentiment dans votre cœur et bercez-le tendrement avec votre souffle. Peu à peu, l'émotion s'apaisera, se transformera et, le temps venu, cédera la place à la paix intérieure.

En méditation, la joie, le calme, la paix, la gratitude, le chagrin, la colère, l'ennui, l'impatience, la peur sont des visiteurs qui arrivent sans nous prévenir. Au lieu d'attendre une arrivée ou un départ, mieux vaut être disposé à s'ouvrir à ce qui est là, ou pas. Par l'exercice méditatif, nous développons notre faculté à reconnaître l'impermanence des choses. Nous percevons avec lucidité et sérénité que nos états d'âme sont transitoires et qu'aucun ne dure éternellement.

En ce sens, on fait un pacte avec soi-même. Quoi qu'il advienne, on reste présent et on pratique l'amour bienveillant. Méditer, dit la célèbre nonne bouddhiste Pema Chödrön, c'est « entrer en amitié avec soi ».

Lorsqu'on fait face à l'échec ou au succès, à une perte ou à un gain, à la maladie ou à la guérison, méditer nous permet de développer un état d'être qu'on appelle équanimité.

L'équanimité est une vision pénétrante qui permet de voir que les choses en ce monde sont incertaines, instables et vouées à changer. C'est une qualité d'être qui reconnaît que chaque émotion est passagère, chaque expérience, transitoire, et cela nous donne la force et le courage de vivre les événements de notre vie avec un cœur paisible et un esprit tranquille.

Indépendamment de la situation dans laquelle vous vous trouvez, prenez conscience que vous portez au fond de vous-même une sorte de présence si vaste qu'elle peut accueillir toutes vos expériences et vos émotions mises ensemble, sans que son état de bonheur paisible en soit altéré.

L'art de méditer en pleine présence consiste précisément pour chacun à découvrir cette présence intemporelle en soi. Pour cela, il nous faut apprendre à cultiver un sentiment d'équanimité. La réelle équanimité, c'est une ouverture sincère envers tout ce qui se présente à nous en ce monde.

Un beau risque
à prendre

On demanda un jour au Bouddha : « Qu'avez-vous obtenu en méditant ? » « Rien, répondit-il. Je n'ai rien obtenu. En revanche, j'ai perdu beaucoup en méditant : j'ai perdu l'arrogance, la peur, la colère, l'envie, la jalousie, le désespoir… »

Par cet enseignement, le Bouddha ne voulait pas dire que méditer ne « donne » rien, dans le sens qu'en méditant, on perd son temps. Rassurez-vous. Par cette déclaration, il nous apprend que la méditation ramène l'esprit à son essence véritable. Voilà pourquoi le Bouddha dit qu'il n'avait rien obtenu en méditant, car une fois la nature de l'esprit réalisée, tout est là.

Cette leçon n'a pas pour but de faire de vous un bouddhiste, mais elle est importante, car elle nous rappelle qu'on ne médite pas pour « obtenir » quelque chose. On ne médite pas pour « devenir » quelqu'un d'autre, ni même pour faire de soi une « meilleure » personne.

Au départ, l'esprit du Bouddha n'était pas différent du mien, du vôtre. En d'autres mots, nous possédons aussi ce même potentiel. Progressivement, exactement comme l'a fait le Bouddha en méditant, chacun de nous peut apprendre à se dégager de l'arrogance, de l'envie, de la jalousie, de la haine, et de tous ces états d'esprit qui nous causent tant de souffrance.

Par la puissance de la pratique méditative, chacun de nous peut cultiver, comme l'a fait le Bouddha, un niveau d'être plus profond qui transcende le monde des pensées et des émotions. La sagesse, l'amour altruiste, la bonté du cœur, l'intuition et la compassion, ces qualités sommeillent déjà en vous, comme en moi.

La seule force capable de les éveiller, c'est l'attention bienveillante d'une pleine présence. Peu importe qui vous êtes, où vous êtes dans le monde, ce que vous avez vécu ou ce que vous vivez présentement, vous pouvez faire émerger ces qualités dans toutes les sphères de votre vie, au quotidien.

Devenir soi

Construire
son bonheur

Il était une fois une personne comme vous et moi, qui cherchait la voie qui mène au bonheur. Pour la découvrir, elle se mit en route à la recherche d'un vénérable maître de sagesse. Après trois jours de marche, elle arriva dans un petit village situé au pied d'une montagne. Elle s'informa auprès des habitants s'ils connaissaient un maître de sagesse dans la région. On lui indiqua la demeure d'un vieux maître soufi.

Celui-ci l'accueillit aimablement et, après lui avoir servi un thé, il lui révéla l'itinéraire tant attendu: «C'est loin, mais vous ne pouvez pas vous tromper de chemin: à des kilomètres d'ici, vous trouverez un village qui compte trois petites boutiques. C'est là que vous trouverez ce que vous cherchez.»

La personne reprit la route, et après avoir surmonté maintes embûches, elle arriva à destination. Elle visita les trois pauvres échoppes, mais à sa grande surprise on n'y vendait que du fil de fer, des morceaux de bois et des pièces de métal. Déçue de ces trouvailles, elle quitta le village pour marcher jusqu'à une clairière et dormir quelques heures avant de repartir vers sa demeure.

À la tombée de la nuit, elle entendit une douce et belle mélodie. Elle leva les yeux et tout près d'elle, dans un rayon de lune, elle aperçut une mystique qui jouait de la musique. En s'approchant de la musicienne, elle vit que l'instrument qui émettait ces sons célestes était une cithare faite de morceaux de bois, de pièces de métal et de fils de fer, ces matériaux qu'elle avait vus dans les échoppes du village.

À cet instant même, elle comprit que chacun possède le talent de créer son propre bonheur. Il suffit simplement d'apprécier ce que la vie nous donne et d'en tirer le meilleur parti.

Un état intérieur

Le bonheur ne se trouve pas dans l'agir.
Un trop-plein d'activités le fait fuir.

Le véritable bonheur n'est pas fait d'excès.
Les excès ne rendent jamais heureux très longtemps.

Le vrai bonheur n'est pas
une question d'apparence ni d'âge.
La jeunesse et la beauté ne durent pas.

Le bonheur n'est pas une question de richesse.
Un vrai bonheur naît d'un rien.

Le bonheur ne se trouve pas à coups de « devenir »
ceci ou cela.

Le bonheur, c'est un état intérieur.

Prêtez une attention bienveillante à ce qui est
et vous le découvrirez là...

Entre deux souffles,
deux pensées, deux gestes, deux pas.

Choc d'éveil

L'existence humaine est remplie de défis. Et au cours de notre vie, nous aurons à franchir certaines étapes pour atteindre notre plein potentiel humain. L'une des plus importantes est celle de découvrir qui nous sommes dans notre for intérieur. Quelle est notre véritable nature ?

Personnellement, c'est la maladie qui m'a poussée à me questionner sur mon identité profonde. Pour d'autres, ce sera lors d'un divorce, d'un accident, du suicide d'un être cher ou d'un deuil que ce questionnement prendra naissance. Souvent, c'est lorsqu'on tente de se frayer un chemin à travers une expérience déstabilisante que cette quête de sens s'amorce.

Après une mauvaise nouvelle, une journée éprouvante, une discussion enflammée avec son conjoint, une dispute avec un membre de sa famille ou une prise de bec avec son enfant, qui de nous ne s'est pas demandé, au moins une fois, à quoi rime tout cela ?

Que ce soit à travers la perte ou la souffrance ou en d'autres circonstances plus heureuses, les situations qui déclenchent en nous le réflexe de nous questionner sur le sens de l'existence sont nombreuses : au-delà de nos engagements personnels, de nos responsabilités professionnelles, des tâches à effectuer et des désirs à combler, qui sommes-nous réellement ?

Souvent appelée « choc d'éveil », c'est une étape charnière dans notre vie. Soulever le voile des apparences n'est facile pour personne. Oser se poser la question « Qui suis-je ? », cela demande du courage. Car c'est prendre le risque que ce qu'on appelle « moi » sera inévitablement remis en question. C'est là le but d'une pratique spirituelle comme la méditation. Méditer consiste à lever le voile sur nos illusions.

C'est précisément ce dévoilement qui permet de voir que, dans la vie de tous les jours, nous « fonctionnons » sous différentes identités : nous sommes une personne à la maison, une autre au travail, et une autre encore avec nos amis. Nous pouvons ainsi, tour à tour, changer d'identité et être une personne différente avec nos amis et avec nos voisins, ou une autre encore en compagnie d'étrangers. De plus, à ces multiples personnalités s'ajoutent les différents rôles à jouer. Nous sommes l'enfant de quelqu'un, le père ou la mère de quelqu'un, l'employeur ou l'employé de quelqu'un, l'ami ou le voisin de quelqu'un.

Et même si certains de ces rôles nous plaisent ou nous comblent, nous vivons tout de même avec le sentiment d'être fragmentés et mis en pièces dans différentes parties de notre vie. Et plus nous multiplions nos activités et nos occupations, plus nous sommes divisés entre nos différentes identités. C'est la raison pour laquelle nous éprouvons ce sentiment d'être fragmentés entre nos responsabilités, nos engagements et nos aspirations personnelles.

Qui sommes-nous sans nos rôles de mère, père, enfant, frère, sœur, conjoint, ami, patron, employé, sans toutes ces images identitaires que nous entretenons ? Qui sommes-nous sans nos habitudes et nos conditionnements ? Au creux de notre être, sans nos peurs et nos angoisses, qui sommes-nous véritablement ?

Ce questionnement nous oblige à prendre conscience de l'importance de retrouver le sens de notre existence. La première chose à faire, c'est de s'arrêter de courir, de fuir, pour toucher notre vulnérabilité. Notre humanité. La seconde est de s'asseoir en méditation pour découvrir notre authentique identité.

C'est un beau moment que celui où nous réalisons que nous ne sommes pas qui nous croyions être. Alors que nous croyions être une personne anxieuse, nous découvrons en méditant que nous ne sommes pas nos pensées anxiogènes. Alors que nous disions être une personne impatiente ou colérique, au fil de nos méditations, nous réalisons que nous sommes bien plus que ces courants émotifs. Et toutes ces découvertes découlent de l'ultime question que chaque être humain vient à se poser tôt ou tard : « Qui suis-je ? »

Qui suis-je ? Cette question nous invite à dépasser les étiquettes et les réponses toutes faites pour plonger profondément en nous.

Qui suis-je ? C'est la question qui nous immerge dans un état de présence intense. Un espace intérieur prêt à recevoir l'immensité de qui nous sommes au fond de notre être.

Qui suis-je ? C'est la fabuleuse question qui nous donne le coup d'envoi pour sortir de nos conditionnements et nous permettre de revenir au monde.

MÉDITATION POUR DEVENIR SOI

Dans la pratique qui suit, nous allons explorer ensemble
la profondeur et la richesse de la question : « Qui suis-je ? »
Cette méditation peut vous éveiller à la beauté, à la
créativité, à la joie et à la paix qui se trouvent en vous-même.

Asseyez-vous le dos droit, posez les pieds au sol et détendez-
vous en prenant quelques respirations profondes.

Prenez conscience de votre corps, de son poids, de sa forme,
de l'espace qu'il occupe dans l'environnement. Ici, il ne s'agit
pas de visualiser votre corps ni de réfléchir à votre poids, mais
bien de le ressentir afin de l'habiter pleinement.

Maintenant, déplacez doucement votre attention vers votre
souffle. Soyez conscient du mouvement de votre respiration
et du fait que vous n'avez rien à faire pour que votre corps soit là,
qu'il soit vivant, qu'il respire. Vous n'avez aucun effort à produire,
aucune énergie à mobiliser.

Centrez votre attention sur votre souffle pendant une minute ou
deux ; cela vous mettra aussi en lien avec votre corps, en contact
avec vos émotions et avec l'instant présent. Laissez-le vous
imprégner et vous bercer de la tête aux pieds.

Ne vous préoccupez ni des pensées ni des jugements envers
cet exercice.

Ne luttez pas, ne combattez pas.

Ne faites que simplement respirer naturellement et sentir le calme s'installer en vous.

À présent, posez-vous silencieusement la question :
Suis-je mes pensées ?

Observez le va-et-vient de vos pensées. Elles surgissent de nulle part, puis traversent le terrain de votre esprit. Si vous leur prêtez attention, elles demeurent plus longtemps, mais si vous ne les alimentez pas, elles apparaissent, puis disparaissent. Donc, vous ne pouvez être vos pensées.

Demandez-vous maintenant : Suis-je mes émotions ?

Ce matin, par exemple, vous vous êtes peut-être réveillé avec le vague à l'âme, mais en après-midi, vous étiez de bonne humeur, et le soir venu, vous étiez dans un autre état d'esprit. Vos émotions, comme vos pensées, vont et viennent, et elles fluctuent selon les circonstances. Vous n'êtes donc pas ces émotions qui fluctuent dans votre paysage mental.

Questionnez-vous intérieurement : Suis-je mon corps ?

Quand vous vous regardez dans la glace, l'image est-elle exactement ce que vous ressentez intérieurement comme étant « vous » ?

Aux yeux du monde, vous apparaissez comme étant un homme ou une femme, une personne, de telle ou telle taille, ayant approximativement tel ou tel âge, mais dans votre for intérieur, la vérité de qui vous êtes est différente de votre apparence. Et c'est là la preuve que vous n'êtes pas que votre corps.

Poursuivons notre investigation en silence.

Laissez maintenant aller et venir vos pensées, votre souffle,
les sensations, les bruits, les sons.

Détendez-vous et respirez doucement, naturellement.

Demeurez simplement témoin de ce qui est.

Évitez tout concept, toute étiquette, tout bavardage mental.

Maintenant, déplacez lentement le regard autour de vous.
Faites cela sans effort.

Accordez toute votre attention à ce qui se trouve devant vous,
mais sans intervenir en pensées ou en mots.

À présent, accueillez les sons qui vous parviennent,
sans produire d'effort.

Vous respirez sans effort.

Vos perceptions sensorielles se produisent tout aussi
naturellement.

Donc, aucun «je» ou «moi» n'a besoin de s'en mêler pour que
vous ayez pleinement conscience d'être là et de vivre ce moment.

Alors, «qui» fait l'expérience de cet instant?

Cette question est trop importante pour être reléguée au
domaine du mental. Elle doit être respirée, ressentie.

Vous êtes un témoin silencieux, une pleine présence qui observe,
qui ressent, qui «reconnaît» ce qui est.

Vous voilà au cœur de votre être. Cette quiétude, ce silence, cette paix intérieure, c'est réellement « qui vous êtes ». C'est votre véritable identité. Votre essence la plus profonde.

Voilà ce que c'est que d'être en pleine présence. Permettez maintenant à cet état de devenir votre identité première.

Être à soi, être au monde

Il y a, au plus profond de chacun de nous, un « regard » qui n'a jamais été ébranlé par les grandes difficultés de l'existence.

Qu'on l'appelle « conscience », « âme », « lumière » ou « parcelle divine », cette partie de soi n'exige pas qu'on fasse le tour du monde pour la découvrir.

À travers la fragilité d'une fleur sauvage, la fluidité d'un ruisseau, la force des montagnes, la profondeur de la mer, la beauté d'un ciel étoilé, elle nous rappelle à elle.

Le *sacré* en chacun de nous connaît le beau, le profond et le très grand mystère de la vie.

Pour renouer avec cette partie de nous-mêmes, nous devons ouvrir notre esprit à une perspective plus vaste de qui nous sommes et à une vision panoramique du monde qui nous entoure.

Ce regard nouveau, c'est celui de l'amour bienveillant. C'est là le fondement du bonheur intérieur et le sens véritable de notre existence. Et nous savons que c'est vrai.

Aimer tout ce qui est, tout ce qui vit.

Aimer les autres et le monde.

Et apprendre à s'aimer soi-même.

Cet amour est notre droit de naissance.

Revenir au monde

Maintenant que vous êtes presque en fin de lecture, j'ai un secret à vous dévoiler : si vous désirez progresser et plonger profondément dans cet art de vivre, il faut savoir désapprendre. Les enseignements et les pratiques sont de merveilleux outils, mais ils ne sont pas l'expérience vivante de la méditation.

Cela ne signifie pas que vous devez cesser de lire et d'amasser des connaissances sur la méditation, mais bien plutôt que vous devez vous en détacher si vous souhaitez découvrir ce que vous ne savez pas encore sur vous et sur le monde.

Quand, au lieu de suivre une recette de méditation, on s'ouvre à la totalité de la réalité, quelque chose en soi se transforme. Quand on laisse derrière soi ses questions et ses certitudes, le savoir et les doutes, les idées et les concepts, la pleine présence s'éveille en soi, c'est-à-dire son intériorité profonde.

Que se passe-t-il alors? Vous faites l'expérience de la «libération», dit le maître zen Shunryu Suzuki. Cette liberté intérieure, vous la découvrirez à travers le courage d'accueillir la totalité de qui vous êtes. Au lieu de rester enfermé dans la résistance, dans la peur et dans l'angoisse, au lieu de fermer votre cœur et de le laisser s'endurcir, devenez pleinement et entièrement vous-même.

Osez l'être. Prenez ce très beau risque à votre tour. Comme nous l'avons découvert ensemble, qui vous êtes réellement n'a rien à voir avec votre apparence ou votre état de santé. Qui vous êtes n'a rien à voir avec votre profession, votre éducation ou votre scolarité, la couleur de votre peau, votre lieu d'origine, votre orientation sexuelle, votre compte de banque ou vos relations. Vous n'êtes pas vos pensées, ni vos angoisses existentielles, ni aucun de vos états d'âme. Vous n'êtes pas votre irritabilité, votre nervosité, votre impatience, vos colères, vos peurs et vos désespoirs. N'est-ce pas là une merveilleuse nouvelle?

Au plus profond de vous-même, il y a une présence aimante qui accueille toute expérience. Pour autant que vous soyez disposé à poser un regard bienveillant sur vous-même, sur les autres et sur le monde qui vous entoure, cette porte d'entrée à cette dimension sacrée de vous-même vous est ouverte.

Le moment n'est-il pas venu pour vous de revenir au monde?

Tout est là.

Tout y est.

Là où vous êtes.

Tel que vous êtes.

Vous n'avez plus qu'à être.

À l'infini.

Pour poursuivre votre découverte

Sur la méditation

ANDRÉ, Christophe. *Je médite jour après jour*, Paris, L'Iconoclaste, 2015.

CHAH, Ajahn. *Méditation et Sagesse*, Vannes, Sully, 2015.

KABAT-ZINN, Jon. *Reconquérir le moment présent… et votre vie*, Paris, Les Arènes, 2014.

KORNFIELD, Jack. *Une lueur dans l'obscurité*, Paris, Belfond, 2013.

RICARD, Matthieu, et Wolf SINGER. *Cerveau et Méditation*, Paris, Allary Éditions, 2017.

ROMMELUÈRE, Éric. *S'asseoir tout simplement*, Paris, Seuil, 2015.

Sur la beauté de vivre

CHÖDRÖN, Pema. *Vivez sans entrave*, Paris, Le Courrier du Livre, 2011.

KABAT-ZINN, Jon. *L'Éveil des sens*, Paris, Les Arènes, 2014.

LENOIR, Frédéric. *Du bonheur : un voyage philosophique*, Paris, Fayard, 2014.

MIDAL, Fabrice. *Être au monde*, Paris, Les Arènes, 2015.

TOLLE, Eckhart. *Le Pouvoir du moment présent*, Outremont, Ariane, 2000.

Albums de méditations guidées

BORDELEAU, Nicole. *Méditations pour mieux vivre*, YogaMonde, 2006.

BORDELEAU, Nicole. *Méditer en toute simplicité*, YogaMonde, 2014.

BORDELEAU, Nicole. *Vivre heureux, vivre mieux*, YogaMonde, 2016.

Pour en savoir plus sur les ateliers et les retraites de méditation de Nicole Bordeleau, consultez le site suivant : www.nicolebordeleau.com

Vous pouvez aussi découvrir certaines de ses méditations gratuites sur YouTube.

Remerciements

Ce livre n'aurait pu voir le jour sans le soutien indéfectible de Pascale Mongeon, ma chère amie-éditrice. Elle a su me guider patiemment pour faire surgir le meilleur de ce que je pouvais offrir à mes lecteurs. Merci à Judith Landry pour son précieux soutien. Je remercie Diane Denoncourt et Christine Hébert d'avoir prêté leur talent artistique à la réalisation de cet ouvrage. Je souhaite aussi exprimer ma gratitude à Jacinthe Lemay, à Sylvie Tremblay ainsi qu'à Sylvain Trudel, qui révise mes livres avec rigueur et chaleur humaine.

À Hélène Murphy-Aubry, responsable de la diffusion européenne de mes livres, et à Fabrice Midal, éditeur de la maison Pocket, je dis ici ma profonde reconnaissance.

À mes maîtres de méditation qui me guident avec tant de patience et de bonté, et à mes étudiants, qui m'enseignent comment devenir une meilleure professeure, je vous offre mon éternelle gratitude.

À Hélène, ma mère, ma sœur Claude, mon frère Denis et à mes amis, je vous vous dis mon amour. Merci d'enrichir ma vie !

Enfin, à vous qui tenez ce livre entre vos mains, de tout cœur, merci.

Table des matières